JN318727

グレイシー一族に柔術を教えた男

不敗の格闘王
前田光世伝

神山典士

祥伝社黄金文庫

まえがき

今から約一世紀前、欧米で初めて市民権を得た日本人の著書の冒頭には、こんな一節があった。

「武士道はその表象たる桜花と同じく、日本の土地に固有の花である」

１８９９年（明治32年）、アメリカ・フィラデルフィアで出版された新渡戸稲造《にとべいなぞう》著『BUSHIDO, The Soul of Japan』のこの文章により、欧米での日本の存在感が確立され、そのシンボルとしての桜のイメージも強固なものになったと言われている。

時はまさに、日本が日清戦争（１８９４年～95年）に勝利して、世界列強の仲間入りを果たそうとしていた時期。江戸末期から明治維新期にかけて、一度も西欧列強の植民地支配を受けなかったアジアの新興国が今まさに世界に打って出ようとしていた時に、侍の意識と行動について書かれた書物が英語で出たのだから、知識階級はこぞって手にした。時のセオドア・ルーズベルト大統領や後のジョン・Ｆ・ケネディ大統領、ボーイスカウトの創始者、ロバート・ベーデン・パウエルなどがその主張に共鳴し、名著として喧伝したことは知られている。

その後同書は、数年のうちに世界で翻訳された。ポーランド語、フランス語、ノルウェー語、ハンガリー語、ロシア語、イタリア語等々。ほぼ全世界に行き渡る勢いだ。

だがその書の末尾には、こんな表記も見られる。

「日本人の心に証せられかつ領解せられたるものとしての神の国の種子は、その花を武士道に咲かせた。悲しむべし、その十分の成熟を待たずして、今や武士道の日は暮れつつある」

つまり冒頭では「桜花」と書き出しながら、新渡戸はその結末では「武士道の日は暮れつつある」とネガティブな表現で終えなければならなかった。この時ですでに維新から約30年、日本人の道徳体系としての武士道は、明治中期にしてすでに瀕死の状態だった。江戸時代末期の拝金主義的な町人経済や享楽的な文化の発展が、武士の孤高の精神を頽廃《たいはい》させた結果と言われている。

だが世界では、この書物とともに実は一人の日本人の若者が、まさに「桜花」としての強さ、潔《いさぎよ》さ、あるいは芳香と呼んでもいい男としての魅力を振りまきながら、各地で力自慢たちとの戦いを繰り広げ、地元の人々をも熱狂させながら全戦全勝の快進撃を続けていた事実をご存じだろうか。

その若者が背負っていたのは「柔道」というその時代の新興の格闘技ではあったが、異文化の中ではその技よりも、「小さい者が大きな者に果敢に立ち向かう勇気」や「初めて目の当たりにする日本人のもっている高潔さ」のほうに注目が集まった。いつしか人々は、この若者のことを「コンデ＝伯爵《はくしゃく》」と呼ぶようになり、ある種の尊敬の眼差しとともに接するようになる。

つまり異文化において武士道の本質はこの若者に宿り、世界に伝播《でんぱ》されたことになる。ところがその事実が、第二次大戦後、若者の母国日本には正しく伝えられなかった。今に残る当時の資料には「プロレスラー」と書かれたり、「柔道の本家講道館《こうどうかん》から破門された」と伝えられたりするなど、若者には不本意な伝承が残っている。

私はその存在を知り、その世界行脚《あんぎゃ》の足跡を知った時、書き手の半ば使命として、この若者の軌跡と奇跡を辿《たど》らなければならないと感じた。だがその時はこの若者の軌跡が、これほどまでに日本と日本人の存在を世界的に高めたものだったとは予想していなかった。あるいは新渡戸の『BUSHIDO』は、この若者、コンデ・コマ＝前田光世《まえだみつよ》の世界行脚がなければ、今ほど世界に浸透していなかったのではあるまいか。出版と同時期に異文化において武士道を体現する若者の存在があったからこそ、『BUSHIDO』は読み継がれ、人々は日本、および日本人に興味を抱いたのではないか。

新渡戸もまた書いている。

「武士道は、一の独立せる論理の掟としては消ゆるかもしれない。しかしその力は、地上より亡びないであろう。（中略）その象徴とする花のごとく、四方に散りたる後もなおその香気をもって人生を豊富にし、人類を祝福するであろう。百世の後その習慣が葬られ、その名さえ忘らるる日至るとも、その香は『路辺に立ちて眺めやれば』、遠き彼方の見えざる丘から風に漂うてくるであろう――」

「遠き彼方の見えざる丘」、すなわち、異文化。前田光世の存在が、今も柔道界の古老たちを中心に根強く語られているのは、日本国内よりもむしろブラジルやイギリス等、異文化の国々であることを思っても、新渡戸の視点はまさに炯眼《けいがん》だ。

今再び私は、現代の日本に、この男の存在を示したいと思う。世界が刮目《かつもく》した日本人の魂と誇りの伝承を、前田光世の姿に託して語りたい。

その香が消え去る前に――。

平成26年初夏

神山典士《こうやまのりお》

もくじ

三章 華盛頓《ワシントン》

一九〇五「日露戦争」

四章

紐育《ニューヨーク》一九〇五「異種格闘技」

五章

墨西哥《メキシコ》

一九〇九「排日思想」

六章　伯剌西爾《ブラジル》

一九二六「民族発展の地」

文庫版あとがき

装丁／盛川和洋

（本書は、一九九七年五月、小学館より刊行されました『ライオンの夢 コンデ・コマ＝前田光世伝（第3回小学館ノンフィクション大賞優秀作）』を、加筆・修正・改題いたしました）

一章

玖馬《キューバ》

一八九六「移民一世」

明治の若者の足跡を求めキューバへ

カリブ海に浮かぶ孤高の社会主義の島、キューバには、私が取材した一九九六年（平成八年）二月の時点で、四十四人の日本人移民一世が生活していた。

「移民」が国策として奨励されていた明治から昭和初期にかけて、現在わかっているだけで千百五十六人の日本人が、直行したとしても約五十日かかる船旅の末に、移民としてこの島に到着している。この時点で存命していた四十余名の一世たちは、事情はそれぞれだが、大正末期から昭和初期（一九二〇年代から三〇年代）にかけて青春の志を胸に太平洋を横断し、メキシコ、パナマ等を経由してこの島にやってきた。以来約九十年。誰一人として最初から永住しようと思っていた者はいなかったというが、半世紀を超える月日の中でこの島の生活に溶け込み、国籍を変え、何らかの理由から日本への帰国のチャンスを逃し、あるいは見送って、今日の日を迎えている。ある者は子供たちと同居しながら、ある者は年老いた夫婦でいたわりあいながら、またある者は天井の高いスペイン風の石造りの家で、時折訪れる友人知人とのお喋《しゃべ》りだけを楽しみにしながら。平均年齢も八十五歳（取材当時）を超えようとする彼らの生活を支えているのは、政府から支給されるわずかな年金と配給物資だった。

今日においても、日本から空路キューバを訪ねるには途中メキシコで一泊しなければならない。野球とカストロとモンスーンのニュースしか伝わってこない国、キューバ。すでに日系人社会も三世、四世そして五世の時代になり、日本から見ると距離的にも経済的にも最も遠い国の一つになっている。

だが今回、はるばるかの地を訪ねようとしたのにはわけがある。

遠く明治時代、柔道衣に身を包み、この島に足跡を刻んだ日本の若者がいた。彼の故郷・弘前《ひろさき》に住む研究者がたった一枚、当時のキューバの新聞に掲載されたイラストの複写を持っていた。そこには、大きな樽《たる》の上に乗った西洋人のボクサーやレスラーたちを、柔道着を着た若者が投げ飛ばす絵が描かれている。

だが弘前ですら、それらわずかな資料を除いてその若者の記憶は年々風化しようとしている。あるいはキューバならば、それが残っているのではないか。何故なら長い歴史の中で日本との交渉がほとんど途絶えているだけに、移民一世たちはむしろ大切な祖国の記憶として、若者の息吹を語り伝えているのではないか。

その思いが高じて、ようやく手に入った一世たちの住所だけを握り締めて、私はカリブ海を目指すことになった。

「私たちの時代は観光というものがなかったから、外国を見たいと思ったら移民をする人に嫁ぐしか方法がなかったんですよ。私は昔から雑誌を見るのが好きで、そこに載っていた外国の写真が綺麗《きれい》でねぇ。外国が見たくて見たくて、それで移民するという人のところに嫁いだわけです」

やっと探し当てたハバナの裏町にある自宅の居間で、九十一歳（取材当時）になるという移民一世・真鍋直《まなべなお》さんは、そう言って丸い顔に同心円状に広がる何本もの皺《しわ》を一層深く刻んで微笑《ほほえ》んでくれた。日本で入手した真鍋さんの住所は確かにハバナ市内となっていたが、目抜き通りを一歩抜けると、そこはアスファルトが捲《めく》れた埃《ほこり》っぽい道と品物のない商店、そして裸足《はだし》で走り回る子供ばかりが目立つスラムの様《さま》になる。番地だけを頼りに大きな木製の扉をノックすると、中から出てきたのは小柄な老女だった。一通りの挨拶《あいさつ》と訪問の理由を告げると、彼女は無防備に中に通してくれた。薄暗い土間には小さな机と二人がけの椅子《いす》、そして時代遅れのトランジスタ・ラジオ。壁には金閣寺《きんかくじ》と舞子の後ろ姿が描かれたカレンダーがかけられている。もちろん、一九九六年のものではない。

それでも直さんが、少し関西弁が混じったしっかりとした日本語を話してくれたのが救いだった。農村部に住む移民一世の中には、すでに日本語を忘れスペイン語しか話せなくなった者も少なくないという。直さんは、「八十五歳の時に足を折ってからめっきり足腰が弱くなった」と言いながら、一人で台所に立ち、お茶と茶うけの菓子を出してくれた。そのドアを叩《たた》くのが日本人であるならば、その人が日本語を喋ってくれるならば、誰でも歓迎なのだという気持ちが痛いほど伝わってくる。

はたしてこの老女の中に、一日中陽の差し込まないこの家の中に、明治の格闘家の記憶は残っているのだろうか。不安が胸に広がったが、むしろ彼女の柔らかい関西弁と歓迎の心遣いに、ひと時浸っていたいと思わせる時の流れだった。

直さんがキューバに辿《たど》り着いたのは、二十三歳当時、金融大恐慌が吹き荒れる一九二七年（昭和二年）。新婚のご主人とともに故郷・高知を発《た》ち、以来ずうっとキューバ東部の田舎町で農業で生計を立ててきた。ご主人を亡くし、一九五九年（昭和三四年）の革命前にハバナに出てきて国籍を変え、近所に娘さんを住まわせて独り暮らしをしていた。日本へは一度も帰っていない。だが日本に残る親戚や友人たちとの文通は欠かさないった。普段でも眼鏡を使わずに日本語で手紙を書くのだという。彼女は問わず語りにキューバの「日常」を話してくれた。

「これが配給の台帳。これを持って配給商店に買い物に行くと、サインして品物を売ってくれるの。配給は安いよ。パンは一個五センターボ。でも、月に一人三十個しか買えないの。卵は一ヶ月に七個まで。米は中国米が一人三キロ。牛乳は子供にしか配給はないんよ。シィシィ（そうそう）、ドルがあればドルショップに行って何でも買える。でも私たちにはドルを手にする方法がないから、配給品しか手に入らないの」

直さんは最初、年金は一ヶ月百ドルだと言った。日本の感覚ならば百ドル＝約一万百円だから、それでもわずかな額ということになる。だが前もって調べておいた情報によると、この国ではオリンピックで金メダルを常に争う野球選手でさえ、国家から支給される給料はドル換算で月額二十五〜三十ドル程度（取材当時）ということだった。それに比べると、直さんの年金はあまりに多すぎる。よほど国家（＝キューバ共産党）や革命に貢献した人なら話は別だが、庶民の年金が国家を代表する現役のスポーツ選手の給料よりも多いとは考えにくい。ましてそれがドルで支給されているはずがない。

そんな疑問を頭の片隅に置きながら彼女と話していると、ほどなくしてそのからくりは解けた。直さんが言っている「ドル」は、実はキューバの貨幣単位「ペソ」のことだった。だから彼女が言う「百ドル」とは、「百ペソ」のこと。当時のレートだと、約二十五ペソが一ドルだったから、彼女の年金は九六年のレートでは月額約四ドル＝約四百四十円ということになる。これならスポーツ選手と比べても納得できる。つまりパン一個は百分の五ペソ。日本円にすると、約二十銭（＝〇・二円）だった。

なぜ直さんの頭の中で、ドルとペソが等価で混在しているのか。それは三度にわたる独立戦争を経て今日の社会主義に行き着いたキューバの政治史と、その裏側で常にキューバ経済を操ってきたアメリカが影を落とす経済史が絡んでいる。一九五六年（昭和三一年）に始まるカストロらによる革命運動の遥《はる》か以前からこの島に住んでいる直さんだからこそ、ドルとペソの混在した時期の記憶がある。――あるいはこの人なら、コンデ・コマの記憶を残しているかもしれない。

そんな期待が胸に宿ったのは、そのからくりに気づいた時だった。

謎の柔道家コンデ・コマ

かつてドルとペソがこの島において等価で併用されていた一九二〇年代初期、この島に現れて四百名にものぼる地元レスラーや力自慢と闘って、無敗のまま去っていった日本人柔道家がいた。日本名、前田光世《まえだみつよ》。この島では、スペインで付けられた「コンデ・コマ＝高麗《こま》伯爵」という名を使って戦い歩いていたことが、日本の古い文献に残っている。日本に伝わった当時のキューバのイラストを見ても、その登場と柔道の技は、現地で強烈なインパクトを与えていたことがわかる。

その時代、キューバにおいてドルとペソが等価で併用されていたのにはわけがある。スペインが世界に広大な植民地帝国を維持していた一九世紀末、アメリカ合衆国はスペインに対してキューバとフィリピンの独立を求める戦い「米西戦争」を仕掛けた。この戦いにアメリカが勝ち、以降キューバは表面上は独立を勝ち取ることになる。だがその実態は、アメリカによる経済支配に他ならなかった。そこに第一次世界大戦が始まる。戦場となったヨーロッパの甘蔗《かんしょ》（砂糖《さとう》きび）の生産が激減したことからキューバ糖への注文が殺到。アメリカが勝利したことも手伝って、一九二〇年（大正九年）をピークとしてキューバには経済の黄金時代が訪れた。

この時代のことを、キューバの人々は「パガ・ゴルダ＝太った雌牛《めうし》」あるいは「百万ドルのダンス」と呼び、その隆盛ぶりをつい昨日見てきたことのように話す。一九一五年には一ポンド三セント台だった砂糖が、二〇年になるといきなり二十二セントに高騰。消費量も一九〇〇年前後の二百五十万トンから一気に五百七十万トンへと倍増した。丸々と肥えた雌牛の大群を手に入れたカリビアンたちは、連日連夜、飲み、食い、歌い、踊り続けた。

当時このニュースは世界へ伝わっている。日本でも新潟の若者たちが、この「雌牛」の尻尾《しっぽ》を目指してはるばるキューバへ出稼ぎに渡ろうとしていたことが記録されている。

だが、世界を羨《うらや》ましがらせたバガ・ゴルダの勢いも、翌年には早くも急落の兆候を示しはじめた。砂糖相場の生命線をニューヨークのウォール街の投資家に握られたキューバ経済は、一攫千金《いっかくせんきん》を狙って投機に走る者の出現とともに大恐慌に反転。好景気を当て込んで雨後の筍《たけのこ》のように誕生していた金融機関は各地で一気に破綻《はたん》し、やがてスペインとの合資銀行バンコ・エスパニョールやキューバ国立銀行すらも破産を宣言。政府も六ヶ月のモラトリアム令発令を余儀なくされる事態となった。

ほどなくして、混乱の終息とともにそれらの金融機関はアメリカ資本のナショナル・シティ・バンクに吸収されていく。つまり、キューバを襲った好況と恐慌の嵐が根こそぎこの島からスペインの影を吹き飛ばし、後に残ったのは、砂糖きび畑に深々と押されたアメリカ経済の刻印とドル紙幣だけだった。

直さんがキューバに到着したのは、この混乱が収まった一九二七年（昭和二年）一一月二六日。すでに太った雌牛の姿はどこにもなかったが、貨幣はドルとペソが等価で並立して使われ、どちらの札を出してもスムーズに買い物ができるドル・ベースの生活になっていた。

やがて約三十年後の一九五六年一一月。周知のようにこの島は、フィデル・カストロ率いるわずか十二名の青年たちの反乱で始まった「独立戦争＝革命」により、再度大きな嵐を経験する。一九五九年五月一七日、「耕す者に土地を」という社会主義の大原則に則《のっと》った農地改革法が革命政府によって公布されるのと同時に、市内に溢《あふ》れていたドル紙幣は一掃された。

対してアメリカはキューバに対する「経済封鎖」を宣言。翌六〇年にはキューバ糖の輸入も拒否し、この事態を救う形で当時のソビエト連邦がキューバ支援に乗り出してくる。カリブ海に浮かぶ小さな島は、時あたかも緊張のピークにあった東西冷戦構造に巻き込まれ、激流に呑まれていく。ソビエト崩壊後も続くキューバとアメリカとの緊張関係は、この時に始まったものだ。

以来約四十年（九六年取材当時）、アメリカの経済封鎖が続くキューバは、極端な物不足が続いている。例えばハバナ市内の道路を走っているのは、革命以前に輸入された五〇年代のアメリカ車と、革命以後ソビエト連邦崩壊までの間に輸入されたソビエト車のみ。

タイヤはボロボロ、窓ガラスはなく塗装も自前でツギハギというのが当たり前だ。アメリカ経済の黄金時代を象徴する丸く大きなボディの「シボレー」と、ガチガチに角張った旧ソ連邦の大衆車「ラダ」が真っ黒な排気ガスを撒き散らしながら競争して走る光景は、この国の歴史を能弁に物語っている。

けれどこの島の地中深く、人々の生活の中にはしっかりとバガ・ゴルダに連なるアメリカドル経済の影が残っていた。直さんがペソをドルと呼ぶことに固執している背景には、この国の歴史があった。

直さんの来島はバガ・ゴルダの時代には間に合わなかったものの、彼女はそれに連なる黄金時代の明るい光に満ちたドル経済の生活を懐かしんでいる。

同じく移民一世として約九十年前にこの島に移民し、今は白内障で視力をなくしてしまったキューバ人の奥さんと一緒に住む内藤五郎さん（八十八歳、取材当時）は言う。

「私らは砂糖の好景気には間に合わなかった。こっちに来てから、先に来ていた日本人から当時のことはよく聞いたですけどね。ほんの少しの農地を耕すだけで、日給を今の何倍もくれたという話を聞いたこともあったですよ」

遥かなる、古き良きキューバの黄金時代「バガ・ゴルダ」。その時代を知る人にならば、こう問い掛ければ必ず何か記憶を引き出してくれるにちがないと思えた。

――キューバに来た時に、コンデ・コマという名の日本人柔道家のことを耳にした記憶はありませんか。

日本に残る文献には、コンデ・コマ＝前田光世はアメリカを振出しにヨーロッパ諸国や中南米を戦い歩き、ちょうどバガ・ゴルダの時代にアマゾンからメキシコを経てキューバに来たという記憶が残っている。

ハバナを訪ねるまでは半信半疑だったが、一世たちとの会話を重ねる中で、ある確信が心に宿るようになった。「コンデ・コマ」。彼らならば、必ずこの名前に連なる記憶を持っているにちがいない。案の定、会話の途中でその名を口に出すと、移民一世の直さんも五郎さんも、膝《ひざ》を打つようにしてこう口を揃《そろ》えた。

「ああ、コンデ・コマさんね。話は聞いたことはありますよ。私たちが来た頃はもうアマゾンに去った後でしたが、彼の話は日本人からもキューバ人からも聞きましたよ」

間に合った！

コンデ・コマの名前を出すと、二人は懐かしい旧友に出会ったかのように相好《そうこう》を崩して、記憶の糸を手繰《たぐ》ってくれた。さらに、こう続けた。

「当時日本人がキューバに着くと、決まって地元の人から、〝君は日本人か、だったらコンデ・コマを知っているだろう。彼はジェントルマンだった。とても強い男だった。この島で、何回も戦った。一度も負けない柔道家だった〟と聞かされたものです」

直さんと五郎さんだけではない。その後出会った、やはりハバナ市内に住む宮坂寛司さん、むめ野さんご夫妻（八十九歳、八十七歳、取材当時）もまた、キューバ人から、あるいは先に来ていた日本人移民からコンデ・コマの話を聞かされた記憶を持っていた。そのエピソードは、彼らの中にしっかりと刻まれている。

例えば直さんはこう言う。

「コンデ・コマさん言うても、最初は何人《なにじん》かと思いましたよ。日本人の名前じゃないですからね。でも現地の人や先に来ていた日本人に聞くうちに、日本人の前田光世さんという柔道家だということがわかってきました。私はハバナではなくて、東部の田舎に入った（入植した）のですが、そこでも当時のキューバ人は皆知っていました。私たちが来た頃には、もうコンデさんは島を去っておられましたけれど」

五郎さんの記憶はこうだ。

「こちらに来た当時、僕らの顔を見るとキューバ人は最初チーノ、チーノと呼ぶ。何かと思ったら、チーノというのは中国人のことなんだ。当時は僕らは日清戦争に勝った日本人だという誇りがあったから、チーノじゃない、ハポン（日本人）だと言って怒ったんです。そうすると、キューバ人は、なんだハポンか、じゃコンデ・コマを知っているだろうと言ってくる。彼は強い柔道家だったと言って、それ以降パタッとチーノと言わなくなった」

第二次大戦中に強制的に入れられた日本人収容所の中でも、五郎さんはコンデ・コマに関する思い出を持っている。五階建てのその収容所の中で、五郎さんは一九一六年（大正五年）に新潟から移民してきたという窪田《くぼた》忠雄さんと一緒になった。キューバ東部の山中で生活していた窪田さんは、「俺はコンデ・コマさんの試合の前座に出たことがある」と言って、五郎さんを驚かせたという。

「窪田さんは、当時コンデさんがキューバの各地で試合をする時に、飛入りで前座試合に出たことがあったと言うんです。窪田さんは、日本で小学校の時に柔道の初段を取ったとか言っていたかな。もっとも、収容所の中で喧嘩《けんか》したら、仲間に金玉を握られて負けてしまったこともありましたけれど。その時コンデさんは、五百ドルの懸賞金を賭《か》けて試合をしたそうですよ。最初は誰も相手がいなかったけれど、黒人が飛入りで勝負になって、力ずくでコンデさんを捩《ね》じ伏せようとしたらしいんです。コンデさんが寝技で関節の逆を取ったら、黒人はそのままコンデさんを持ち上げようとした。ところが途中で腕がポキッと折れてしまって、黒人は泣き出したと言っていました」

記録によればコンデ・コマ＝前田光世は、一九〇八年、一〇年、そして二一年の三度、キューバを訪れている。だから直さんも五郎さんも、その雄姿には間に合っていない。唯一貴重な生き証人だったはずの窪田さんも、一九八二年にキューバで他界している。けれどコンデ・コマと呼ばれた日本人の若者が、確かにこの地を踏んだのだという記憶は、約一世紀を生き抜こうとするキューバの日本人移民の生活の中に生きていた。直さんと五郎さんの記憶に勇気づけられて、他にもまだどこかに彼の足跡は残っているのではないか、この島のどこかに彼の名前は生きているのではないか。そう思いつつハバナ市内を訪ね歩いてみると——。

あった！

コンデ・コマ＝前田光世の名前は、カリブ海を見下ろす高台にある「革命広場」の一角に、ひっそりと息づいていた。

柔道着試合で二〇〇〇勝無敗

コンデ・コマ＝前田光世。遥か明治時代に世界を渡り歩いたその男の足跡は、残念ながら日本では明治四五年と昭和一八年に、前田光世と同郷の作家・薄田斬雲《すすきたざんうん》（一八七七〜一九五六年、弘前出身、東京専門学校〈現　早稲田大学〉卒業、国民新聞記者。著書に『天下之記者』明治三九年実業之日本社、『頭山満翁《とうやまみつるおう》の真面目』昭和七年　平凡社など）によって書かれた『世界横行柔道武者修行（前田光世通信）』（博文館）と『日本柔道魂前田光世の世界制覇』（鶴書房）、そして当時出版されたいくつかの雑誌に残るのみだ。だがそれらが古書市でもめったに見かけることのできない稀覯本《きこうぼん》になっている現状を考えると、彼の足跡を留めているのは、故郷・弘前の弘前城公園の一角に立つ碑文のみといっていい。

そこにはこう書かれている。

「君は明治十一年十一月、船沢村に生まれる。父は了《りょう》、母はいそ。弘前中学、早稲田中学を経て東京専門学校に学ぶ。明治三十年講道館に入門。三十七年四段を以《もっ》て当時すでに実力第一人者として世に認められた。早大、一高、学習院、高師などの柔道指導に当り、更に米国及び欧州諸国に遍歴し、五尺四寸十八貫（筆者注　約百六十四センチ、六十七・

キューバにて柔道着姿の前田
（国立国会図書館「ブラジル移民の100年」より転載）

五キロ）の体軀《たいく》を以てよく全世界に日本柔道の威力を発揚し後七段に進む。大正四年ブラジルに渡り、海軍兵学校の師範《しはん》となり、後ベレン市に住みアマゾン開拓に意を注ぎ、南米拓殖会社の創立に尽瘁《じんすい》し、同地方移民を先導す。君は性温良温顔、コンデ・コマの名をもって慈父の如く敬慕され（中略）昭和十六年十一月、同市に永眠する。享年六十三歳」

その碑は、桜で有名な弘前城公園の入口を入ったすぐ左側に立っている。だが今では後年新設されたテニスコートのフェンスとトイレに挟まれて、通りがかりの観光客もそれとは気付かないほど影の薄いものになっている。

マスメディアにおいても、その記録は曖昧《あいまい》だ。

例えば一九九二年に発行された『月刊Ａｓａｈｉ』誌の「21世紀に語り継ぐ日本の異能・異才１００人」という特集の中では、こう書かれている。

「明治三七年、日露戦争の最中に、『姿三四郎』の作者・富田常雄《とみたつねお》の父、富田常次郎《つねじろう》とアメリカに渡り、ルーズベルト大統領の前で試合をしてみせるなど活躍した。そのまま世界武者修行に出かけ、フランス、スペイン、メキシコ、中南米を転戦。プロレスラー、ボクサーらと戦い、柔道衣マッチでは二千勝無敗と伝えられる。スペインでプロレスラーと戦ったとき、現地の人にコンデ・コマ（コマ伯爵）と命名され、以後、それをリングネームにし、さらには本名にした。酒好きで、酔っぱらってアメリカの警官と大立ち回りをしたり、試合に負けた相手に逆恨みされ、ピストルで撃たれかかったり、とエピソードは数知れない。柔道を見せ物にしたと講道館から破門された。先駆者の宿命であろう。晩年、アマゾンに入植したが、アマゾンを訪ねた日本人で前田の世話にならないものはないといわれた。講道館とも和解し、凱旋《がいせん》帰国を目前に死去した」

概略はここに書かれている通りだが、その肩書は「プロレスラー」と表記され、「ルーズベルト大統領の前で試合をした」「柔道を見せ物にしたと講道館から破門された」と記述されている。しかし、日本にプロレスという言葉が広まったのは第二次大戦後であり、ルーズベルト大統領の前で試合をしたのは講道館の先輩に当たる山下義韶《やましたよしつぐ》だ。講道館に残る前田の「段位認定証」には、初段から七段取得まで記録が途切れた跡はなく、「破門」の事実はない。

死後七十年という月日の流れの中で、その足跡も面影も風化し、故郷の弘前ですら、彼の名を知る者は年配の柔道関係者等わずかというのが現状だ。

アマゾン奥地から突然現われた後継者

ところが時に歴史は面白い「物語」を仕掛けてくれることがある。実子もなく、故郷でも途絶えてしまっていた彼の遺志を継ぐ者が、ある日、突然、南米大陸の奥地から現れてきた。

その舞台は、世界を相手に戦い歩いた男に相応《ふさわ》しく、北米大陸、ロッキー山脈の麓《ふもと》の街デンバー。一九九三年一一月、この街で開かれた「アルティメット（究極の）・ファイト」と冠された格闘技大会で、世界中から集まったレスラーや空手家、ボクサー等の格闘家をなぎ倒して「世界最強の男」の称号を得たブラジル人の若者の口から、「コンデ・コマ」の名が語られた。

柔道着を纏《まと》い、ホイス・グレイシーと名乗る当時二十六歳のその若者は、トーナメントで戦った三人の格闘家をわずか二分四秒、五十七秒、一分四十秒という圧倒的な力量差で破り、その実力を世界に示した。大会後、彼の父であり「グレイシー柔術」の創始者を名乗るエリオ・グレイシー（当時八十二歳）は、日本の格闘技雑誌の記者のインタビューに対してこう答えている。

「一九一四年、（アマゾンのベレンに）前田とイオマタという日本人がいて、私の兄弟は三〜四年間前田に柔術を習った。私は五人兄弟で四人の兄がいて、上からカルロス（この大会の後九四年に死亡）、ガシトン（当時八十七歳）、ジョージ（故人）、そして私だ」

インタビューに同席したエリオの長男のホリオン・グレイシー（当時四十三歳）が、グレイシー家とコンデ・コマの関係を補足している。

「前田がブラジルに伝えたオールド・スタイルの柔術は動きが硬かった。だから、体格に恵まれなかった父は体力のハンディを逆に武器にしながら〝柔《じゅう》よく剛《ごう》を制す〟の精神でオリジナルの柔術を作っていったんだよ。それがグレイシー柔術さ」（『格闘技通信』一九九三年一二月発行号）。「柔道」が「柔術」という言葉に置き換えられている点は後に詳述するが、この時登場したグレイシー柔術はその後世界の格闘技界の寵児《ちょうじ》となり、ホイスと、その兄でグレイシー柔術最強とうたわれるヒクソン（当時三十四歳）の兄弟を中心として世界に広まっていくことになる。コンデ・コマに直接柔術を習ったカルロスはすでに亡くなっていることから、グレイシー家としても前田光世にまつわる記録はほとんど残っていないという状況だが、グレイシーの威光から、日本の格闘技ファンの間ではコンデ・コマ＝前田光世に対して新しい光が当たり始めた。

コマの名を冠した柔道大会開催

一方、前田光世が「アマゾン開拓」の夢を馳《は》せて晩年を過ごしたアマゾン川河口の街ベレンでも、ブラジルと日本の修好百周年に当たる一九九五年、日系移民を中心に計画されたいくつかの記念行事の最初のセレモニーとして、彼の名を冠した柔道大会が開かれた。『コンデ・コマ　インターナショナル　ジュウドウ　チャンピオンシップ』

大会には、地元ベレン市選抜チーム、パラ州選抜チーム、北ブラジル選抜チーム、そして日本からは前田光世の故郷、青森県の国体チームが参加。一月一四日、ベレン医科大学の体育館を会場として、サンバのリズムが鳴り響き、ミニスカートのチア・ガールたちが派手なダンスを見せる中で、幾多の熱戦が繰り広げられた。

ベレン周辺には、当時千三百八十八家族の日系人が生活していた。アマゾン全域で生活する日系人は約一万二百〜一万三百人。すでにその中心は、この地で生まれた三世、四世の世代となり、日本人の顔つきをしていても、ポルトガル語しか喋れない若者も多い。けれど遠く日本からやって来た「おじいちゃんおばあちゃんの国」の若者たちを一目見ようと、会場の一角では、アマゾンの森林を貫く農道を百キロ、二百キロのかなたから車を飛ばしてやって来た日系人移民たちが、熱い眼差《まなざ》しを向けていた。

ベレン市内のサンタ・イザベル墓地には、コンデ・コマ＝前田光世の墓がある。試合前、青森の選手たちはそこに大きな花と日本酒を捧げ、故郷の先達の霊を慰めた。

この街に残る古い電話帳には、「C」の欄に「CONDE　KOMA　534」という表記が残っている。彼の最晩年に建てられた家に住む養女（コンデ・コマの死後、養女となった）クリービア川本さんは、一九五九年の日付とともに「C　KOMA」のサインが残るデパートの領収書を持っている。それは彼の死後、妻が書き残したものではあるが、アマゾンでの生活の中で「コンデ・コマ」という名前が生きていたことを示している。

けれどこの街でも、歳月は人々から記憶と記録を奪っていく。日系人の若者たちにコンデ・コマのことを訊《たず》ねても、「おじいちゃんに聞いたことがある」「名前だけは知っている」という答えが出てくるのがせいぜいだ。現在では、生前の彼を知るのは一九三〇年代に開拓移民としてこの地に降り立った二～三人の古老だけであり、日記も手紙の類《たぐい》も、全てなくなってしまっている。

キューバの図書館の書庫に眠っていたコマの記録

はたして彼が渡り歩いた世界各地に、彼の足跡を記す客観的な資料は残っていないのだろうか。あるいは彼を知る人は、今に現存していないのだろうか。それらを訪ねることで、もう一度彼の生きた明治という時代と彼の抱いていた「志」や「エネルギー」を今に蘇《よみがえ》らせることはできないだろうか。それが蘇るなら、長く語られてきた日本＝閉鎖的な島国という視点から自由になれる。九〇年代になって堰《せき》を切ったように海を渡っていった野球の野茂英雄《のもひでお》、サッカーの三浦知良《みうらかずよし》、あるいはテニスのクルム伊達《だて》らの中に、つまりボクらの体内に、海を越えて夢を開こうとした明治の若者の血が伝わっていることの証明にもなる。

そう思って始まった旅がキューバに行き着いた時、あった。コンデ・コマの名が。所は一九五九年にカストロによって「独立」宣言が行われた記念の地、革命広場。その一角に立つキューバ革命の父の名を取った「ホセ・マルティ図書館」の書庫の奥に、「CONDE　KOMA」と書かれた黄ばんだカードが眠っていた。

もちろんそれは、日本からノコノコ現れたスペイン語もままならない弱輩ジャーナリストに容易に探せるような代物ではなかった。当時の新聞や雑誌の閲覧《えつらん》を何度申請しても、一向に働こうとしない「社会主義国家の公務員」たちに業をにやし、一番若い女性係員の手に米ドルで十ドル札を握らせると、事態は一変した。笑顔とともに「明後日」の約束を取りつけ、一日おいて再び図書館を訪ねてみると、そのカードとともに山のような古い新聞の束が用意されていた。

カードには、こう書かれている。

「Luchador de Ju-Jitus《ママ》 Ver su retrato en La Caricatura Habana enero 24 de 1909」

訳すと、

「柔術のレスラー、一九〇九年一月二四日、ハバナで発行されたラ・カリカチュア誌の写真を見よ」

一九〇九年といえば、前田の最初の来島の時期だ。確かにこの時代、前田はまだ日本からの移民すら到着していないこの地に降り立ち、柔道着を纏《まと》った身体《からだ》一つで雑誌に残るような活躍を続けていたのだ。一枚の黄ばんだカードが、そのことを証明してくれている。

しかも、「ＣＯＮＤＥ　ＫＯＭＡ」と書かれた名前の脇には、括弧《かっこ》して「Ｙａｍａｔｏ　Ｍａｉｄａ」という表記もある。

前田光世＝コンデ・コマ＝前田大和。

つまりこの時代、柔道着を着た若者は、自ら日本人のシンボルである「大和」の名を背負って世界を戦い歩いていたことになる。だから、今蘇る前田光世の世界歴戦の不敗伝説は、世界を舞台にした日本人の魂の伝承であり、民族の「誇り」の伝承だったのだ。

はたしてそれはどんな旅だったのか、前田光世はどのようにして生まれ、育ち、そして世界を舞台にしたのは何故なのか。

私の世紀を超える旅は、こうしてカリブの島から世界に向けて始まることになった。

二章

東京

一八九九「講道館」

講道館に現われた一つの彗星

一八九九年（明治三二年）正月八日、小石川区（現・文京区）下富坂《しもとみさか》にある講道館《こうどうかん》名物の百畳敷の道場では、約三百名もの若者が集まって近年にない活気に溢れた「鏡開式《かがみびらきしき》」が行われていた。

道場正面には、この頃すでに病床にあり、間もなく息を引き取ることになる勝海舟《かつかいしゅう》の筆による「無心而入自然之妙　無為而窮変化之神」という書が掛けられ、洗いたての稽古《けいこ》着姿で居並ぶ若者たちを見下ろしている。

この日、道場の上座に位置する嘉納治五郎《かのうじごろう》館長と対峙《たいじ》していたのは、富田常次郎、横山作次郎《よこやまさくじろう》、山下義韶《よしつぐ》、佐藤法賢《ほうけん》、肝付宗次《きもつきそうじ》といった、年齢的にも三十代の半ばから四十代に差し掛かろうとする、そうそうたるメンバーだった。講道館開設は明治一五年、富田はその入門第一号。富田から順に講道館への入門年を示すと明治一五年、一九年、一七年、一八年、二一年となる。本来はここに並んでいるはずの明治一五年の入門者で講道館初期の人気者、西郷四郎《さいごうしろう》（富田常雄の小説『姿三四郎』のモデル）は、不祥事を起こした引責からすでにこの頃九州に流れていたが、富田、山下、横山は西郷と並んで講道館黎明期《れいめいき》の四天王と呼ばれた猛者《もさ》たちだった。

彼らには、その黎明期から明治二〇年代前半にかけて、嘉納師範と力を合わせて江戸期の流れをくむ柔術諸派との対抗戦を自らの力で勝ち抜いてきたという自負があり、すでに入門者が五千人を超える大組織の幹部としての誇りがあった。

しかしこの日、講道館にも創設以来初めての世代交代の波が押し寄せようとしていた。富田たち維新前の生まれの者たちを講道館第一世代とすれば、明治一桁《けた》生まれの第二世代の若芽が、先輩たちが踏み固めた大地を割って顔をのぞかせてきた。

前田光世（この頃はまだ幼名の栄世《ひでよ》と称していた。ここでは光世で表記）の生まれは一八七八年（明治一一年）。その出身が青森県弘前であったこともあって第二世代の波には少し遅れているが、講道館における前田の最初の足跡も、この頃に記されている。講道館に残る記録によれば、前田の入門はこの日を遡《さかのぼ》ること一年半前の明治三〇年六月六日となっている。

この頃、故郷弘前を離れて開校されたばかりの早稲田中学の二年に編入していた前田は、牛込《うしごめ》早稲田町にあった東京専門学校（明治三五年に早稲田大学と改称、私立大学としての認可は大正九年）に新設された道場で稽古に励んでいた。講道館には友人、松代林太郎の勧めで上京一年後に入門してはいたものの、百畳もの大稽古場に威圧されたか、入門者への手荒い歓迎稽古を嫌ってか、最初の一年間は講道館の道場にはあまり顔を出していない。

けれどその実力は、すでに早稲田の道場では知られるところとなっていた。主に稽古をつけていたのは講道館初段の川原弥太郎、鷲尾春雄といった先輩たちだった。

早稲田中学時代からの友人、押川清《おしかわきよし》（後、後楽園野球団会長）の回想によれば、もともと前田は郷里では「相撲っ子」と呼ばれるほどの相撲好きだったという。中学校の近所にある穴八幡の境内《けいだい》で相撲を取っていると、成城《せいじょう》学校の生徒が挑戦してくる。受けて立つ前田はあっという間に全員を投げ飛ばし、「無敵」の名をほしいままにしていた。

とにかく腰が強かったと、当時を知る誰もが口を揃えている。後に講道館で横山作次郎直伝の「手は遊ばせておいて腰で投げる」というほどの腰技の使い手になれたのは、すでにそうした下地があったからだ。

その前田が初めて講道館の道場でその実力を発揮したのは、明治三二年の鏡開の直前の明治三一年一二月二五日に行われた無段者対象の「月次《つきなみ》勝負」。前田にしてみれば、一年以上早稲田の道場で稽古を続けて、満を持しての登場だった。しかし周囲はそうは取らない。どのくらいの実力なのか、組み合ってみなければわからないのが初心者の常。それだけに、全く無名の前田の登場は、鮮やかに同僚たちの目に焼きついている。

ちなみに、この月次勝負は今でも行われている。実力がほぼ同列の者が勝ち抜き戦を行って、勝ちが二点、引分け一点のポイントを奪い合う。このポイントに修行年数が加算されて一定数に達すると、一つ上の段に昇進が認められる。最近では、あまりに段位を持つ者が多くなったことから、段位と実力は正比例しないような傾向も見られるが、当時は最高の実力者と言われた横山作次郎でも六段。若手の猛者たちは二段から四段にひしめいていた時代だったから、一段の差の重みは今の比ではなかったはずだ。

前田は最初、白色の帯を締める初心者が集まる乙組に登場し、あっという間に五〜六人を投げまくった。その活躍が認められて、その日のうちに紫帯の上級者が集まる甲組に進んできた。この時、紫帯を締める先輩として前田と対峙した杉浦和介（後に八段）は、後にこう記している。

「この日、突然一つの彗星が現れた。（中略）前田栄世君の名が呼ばれて出てきたのは、白面温容の美青年だ。この青年なかなかの猛者で、立ち向かう誰彼を片っ端から見事に投げまくり（当時は三本勝負）、五〜六人を抜いて甲組に食い込んできた」

やがて甲組の勝負でも、前田は野口真一、小神野登一郎《おがみのとういちろう》、京野順八郎といった紫帯の先輩たちを苦もなく投げ捨て「一本」を連取。そのまま全勝を続けるかと思われたところで強敵が現れた。松倉一貞という先輩に一本背負いで投げられ、その勢いで道場の羽目板に前田の足がめり込んで大穴が開いてしまった。

前田の快進撃もここまでか。

この時杉浦は書いている。

「実は、ああ善《よ》かった。松倉君が（前田君を）やっつけてくれるか。嬉《うれ》しやと思ったのも束の間、松倉君は（二本目から）大腰、払い腰で続け様に（前田に）二本してやられて退却した。よし、然《しか》らば紫帯の名誉にかけてもと私が必死で立ち向かったが、何と恨むべし。払い腰と大外刈り返しで二本投げられ、特に後の一本は余りに見事にタタキつけられて『ウン』と一声、しばらく起き上がれなかった醜態だった」

こうして前田は乙組甲組合わせて連続十四～十五人を三本勝負で勝ちぬき、この日、横山作次郎から「初段」の認定を受けている（正式な昇段認定は明治三二年正月の鏡開の日）。さらに三二年の一〇月には、紅白勝負等での活躍が認められて二段に昇進。当時でも珍しい一年間で二段昇進した者として、講道館でも「成長株」として名が知られていくことになる。後に講道館三羽烏《さんばがらす》と称される活躍は、この時に始まった。

世代交代の波が講道館にも

　講道館の世代交代を象徴する勝負は、前田が登場した明治三一年末の「月次勝負」から遅れること二週間、明治三二年正月の鏡開の日。前田より少し上の世代の先輩たちの手によるものだった。

　この日、最初に世代交代の狼煙《のろし》を上げたのは、後に十段を拝受し指南役（講道館館長を助けて運営を司《つかさど》る役目）にまでなる新鋭、永岡秀一《ながおかしゅういち》四段だった。対するは、特大の稽古着を着、当時最高の六段をもっていた横山作次郎（後に八段）。明治一九年頃に盛んに行われた警視庁所属の柔術の師範たちとの対抗試合の切札として活躍したこの巨漢に、若手の永岡が果敢に向かっていった。

　この勝負、互いに組んでは離れず投げては凌《しの》ぎ、結局五十五分にわたる熱戦となった。互いに得意技は横捨身。巨漢の横山が強引に技をかければ、永岡はその力を利用して相手を投げ飛ばす。結果は、館長・嘉納治五郎が二人の間に割って入って「引分け」を宣言した。

　当時は今のように、「有効」や「効果」という細かいポイント制はない。「技あり」という言葉は使われていたが、これとてその後の勝負姿勢があまりに消極的であれば「負け」

を宣言される程度のものでしかなかった。勝負がつくのはあくまで「一本」であり、試合時間も、その場に居合わせた師範の酌量《しゃくりょう》一つというのが暗黙のルールだった。

だからこそ、引分けの意味も重い。段位が一つ違えば天と地ほどの違いがある当時にあって、講道館の四天王を新鋭四段が窮地に追い込んだとは勝ちにも等しく、永岡と同世代の若者たちは一気に勢いづいた。

後に日露戦争の旅順《りょじゅん》海戦に出撃し、決死の湾口封鎖作戦に自ら志願して戦死し「軍神」と讃《たた》えられることになる広瀬武夫《ひろせたけお》も、この鏡開で乱取りに臨んでいたという記録もある（『柔道を創った男たち』飯塚一陽、文藝春秋）。当時広瀬は海軍大尉、ロシア駐在武官としてサンクト・ペテルブルグに赴任（明治三〇年六月より駐在）していたから、この時は一時帰国しての参加ということになる。後、明治三二年四月より子《し》で、ロシアからも富田や嘉納にたくさんの手紙を送り、柔道に対する愛情は並々ならぬものがあった。後にロシア皇帝ニコライ二世の前で柔道の模範演技を披露して、ロシアに生まれる格闘技「サンボ」の源流の一つになったという説もある。

ちなみにこの時広瀬は、すでに講道館の記録を持っていた。一八九一年（明治二四年）、講道館紅白大会に出場し、黒帯五人を続けざまに投げて六人目でやっと引分けたという快進撃の記録だ。前田は白帯と紫帯を十四～十五人ぬきだが、広瀬は黒帯を五人ぬき。広瀬が所属していた海軍はすでに江田島に講道館の分室を持つほど柔道は盛んだったが、任務の合間をみて稽古に励んでいた軍人が、本家・講道館の猛者を相手にこれだけ勝ち続けたのだから、相当にセンセーショナルなことだったに違いない。

その若き海軍のエリートに対峙したのは肝付宗次。広瀬は、一瞬の隙《すき》をついて肝付を双《もろ》手《て》刈り、つまりラグビーのタックルの要領で観客席に押し倒してしまった。「今のは柔道の技ではない。さしずめ豹《ひょう》の跳躍だな」と友人に指摘されると、広瀬は「そいつはいいや」と豪快に笑って、引き上げて行ったという。

この勝利により、広瀬は四段に昇段する。同じく海軍の軍人としてこの頃寄港したオーストラリアのメルボルンで柔道の模範演技を披露し、地元民に「スモール・ワンダフル・マン」と呼ばれていた湯浅竹次郎も四段。すでにウラジオストックに「梁山泊《りょうざんぱく》道場」という名の柔道場を開いていた内田良平も四段。さらに、後に十段になり講道館指南役となった飯塚国三郎《いいづかくにさぶろう》も四段に昇進し、明治一桁生まれの勢いを示すとともに、講道館の「世代交代」を鮮明に印象づけることになった。

前田を強くした旧制一高の道場

その世代交代の嵐が吹きすさぶ一八九九年（明治三二年）が、実質的な前田の柔道界へのデビューとなった。特に二段となった同年一〇月からは、連日のように講道館道場に顔を出して猛烈な稽古を始めていった。

この頃、講道館の稽古場で勢いがあったのは、前田と佐村嘉一郎《さむらかいちろう》（後に十段）、轟《とどろき》祥太郎の若手三人だった。轟はおとなしい取口だが相手の裏を取る技術にたけている。佐村は返し技がうまい。これに対して前田は正攻法で、強気に相手をのんでかかる態度に見えたと、彼らの後輩に当たる半田義麿《よしまろ》（後、八段）は後に語っている。

前田自身の言葉としては、次のようなものが残っている。

「俺は誰に教わって強くなったということもない。仲間同士の乱取り稽古で自然と柔道も覚えた。横山さんは何度も柔道は腰でやるんだ、手を遊ばせているようでなくてはいかぬと言われた。ま、私の一番骨を折ったのは一高の道場だ。滝君、福永君などという相当強いのが四〜五人もいた。それが（毎日）二度ずつも稽古を取るので、疲れた。それで私は本当に強くなった」

前田自身この頃は二十代前半。自ら語るように旧制一高の道場に講道館の柔道師範として出かけていって、年がいくつも違わない学生を相手に柔道を教えつつ組み合うことで、その実力をめきめきと伸ばしていった。

当時の柔道着は今よりもスリムで、袖口が細く短い。下着の丈も、膝くらいまでしかない。その袖口へ深く手を入れて、釣り込み腰、払い腰等の腰技に持ち込むのが、この頃からの前田の得意技だった。その技のレパートリーは、後に世界に出て異種格闘技との戦いを始めるようになると、相手の両袖を持って袖釣り込み腰で相手を投げ、そのまま袖を離さずに相手の身体をコントロールしながら関節技を極《き》めていくというパターンに進化していくことになる。

その腰技の妙は、後に指南役となる三船九蔵によると、こう記憶されている。

「前田君は腕力もあるが、くるりと腰を持ってくるあたりは理詰めに行っている。強みにしても腕力ばかりではない。うまみを含んだ強みで強引ではない。姿勢態度がよかった。ぐりぐり振り回したりして（技に）入るのではない。（中略）前田君はその頃一番強かった。前田君は威風堂々としてふだんも豪傑風だった」

誰もが絶賛する前田の腰の強さは、実は津軽富士《つがるふじ》と呼ばれる岩木山《いわきやま》の裾野《すその》にある、故郷弘前の船沢村（現・弘前市富栄）で、父・了から教え込まれたものだった。了は骨格が丈夫で宮相撲の常連としてならしていた。前田が幼少の頃から二人して裸になり、よく相撲を取った。

「相撲は押しの一手で、ただいなされぬ用心をせよ。それには敵の胸へ当てて左、右と左右代わる代わるビタビタと押えるように攻めて行く。（そうすれば）敵はいなそうったってその暇がない」

それが了の口癖だった。

腰だけではない。若き日の前田が上半身裸になった写真を見ると、二の腕は丸太のように太く、肩の筋肉も隆々と盛り上がっている。すでに小学校に上がる頃には米俵二俵を担《かつ》ぐと言われた前田の体力と腰の強さは、この押し相撲で培《つちか》われたものだった。

前田の性格の温厚さも、この父譲りだった。穏やかで、酒もあまり口にしなかった了は（ここだけは違う。前田は酒豪として聞こえていた）、岩木川下流で葦《あし》の茅《かや》を刈る権利を持ってそれを生業にしていた。母・いそは、はきはきした女丈夫。五歳上の姉・てつは近郊に聞こえた美人ではあったが、ある日路上で隣村の乱暴者と格闘になると、川に落ちても組み合っていたという武勇伝を持っている。彼女は弟・光世がアメリカに発った後、県会議員木村喜代治に嫁いで行った。

取材当時、前田光世の生地だったところは、岩木山に向かって広がるリンゴ畑になっていた。弘前でリンゴの生産が始まったのは明治一〇年代だから、前田が生まれた当時はまだリンゴ畑はそれほど多くはなく、畑と田んぼが広がるごく普通の農村風景だったはずだ。

その先祖を辿《たど》れば一六〇〇年（慶長五年）の関が原の戦いに、津軽為信《つがるためのぶ》とともに東軍に加わって参戦したといわれる前田家だが、現在では、光世に連なる直系の子孫は途絶えてしまっている。傍系を含めて柔道に縁のある「前田姓」を辿ってみると、光世がアメリカでの第一歩を踏み出した一九〇五年（明治三八年）に生まれ、八十歳を過ぎても弘前市少年スポーツ団で柔道を教えていた前田金作四段に行き当たる。だが残念なことに、金作さんは九十歳を目前にした一九九四年の暮れ、家族が引き止めるのを振り払って自転車で市内に出かけた帰り道、雪に滑って転倒したところを車にひかれて帰らぬ人になってしまった。

かろうじて弘前で前田光世の「遺志」を残そうと奮闘していたのは、一九八〇年に金作さんとともに『前田光世　コンデ・コマの生涯』という資料集を出版した元教師の山本銀司さん（柔道三段、平成一〇年逝去）だ。大正六年に生まれ、北海道大学時代には柔道部と相撲部でならしたという山本さんは、若い頃は徒歩で弘前から東京まで歩ききるほど健脚で剛毅だった。

山本さんたちは、自費でその資料集を編集した。明治期から今日までに出版された前田の活躍を記した印刷物や、わずかに残っていた前田自身の私信等を丹念に蒐集《しゅうしゅう》したその資料集は、前田光世の足跡を辿ろうとする者にとって唯一の道標になっている。

山本さんは、資料集の巻末に、やはり同郷の先達、陸羯南《くがかつなん》の詩を載せている。

名山出名士　めいざんめいしをいだす
此語久相傳　このごろひさしくあいつたう
試問巌城下　こころみにとうがんじょうのもと
誰人天下賢　たれひとかてんかのけん

嘉納治五郎と講道館

前田光世が通い始めた頃の小石川区下富坂の講道館は、その開設以来三度目の引っ越しを経て建物も立派になり、ほぼ現在に至る組織の基礎が完成した頃だった。一八九三年

（明治二六年）五月三日の新道場落成式には、勝海舟はじめ前ドイツ大使品川弥二郎、子爵渡辺昇、男爵伊丹重賢といった、治五郎と縁の深い明治の重鎮たちが顔を揃え、その勢いを示している。

館長である嘉納治五郎は、公職としては新道場落成の年から高等師範学校（現在の筑波大の前身）の校長となっている。その生まれは一八六〇年（万延元年）一〇月二八日だからこの時三十三歳。すでにその前三年間は熊本の第五高等学校の校長も務め、東京に戻った当初は第一高等学校の校長も兼務していた。ほどなくして一高の職は後進に譲ったものの、併せて文部省の参事官であり教育調査委員会、教育検定委員会、教科用図書選定委員会等の委員でもあった。今で言えば東大と筑波大の学長を同時に務め、しかも文部省の高級官僚でもあったことになる。文字通り日本の教育界の実力者であり、公私ともに活躍の場を持つ「精力の人」だった。

嘉納治五郎と「柔」の出会いを辿ると面白い。その出会いは、そもそも彼が病弱でひ弱だったことを始点としている。

兵庫県武庫郡御影町（現・神戸市）に生まれた治五郎（幼名は、伸之介）は、十一歳の時に海軍省に勤めていた父に連れられて上京し、維新間もない東京の蛎殻町《かきがらちょう》に住むようになった。後に日本の教育界をリードする人物になるに相応《ふさわ》しく、東京帝国大学（明治一〇年の入学時は開成学校、二年後に東京大学が創設され、文学部二回生として編入）へ進むことになるが、十八歳になる頃まで一つのコンプレックスを持っていた。

後に彼は、その半生を回顧する書の中で書いている。

「幼少の頃から体が弱く、自分の育った青少年時代はなかなか乱暴な世の中で、弱い者は随分辱められる場合も多かった」（『柔道百年』老松信一）

明治一〇年代といえば、すでに廃藩置県が行われ政治制度的には「藩」は一掃されていたはずだが、まだまだ地方には「藩」意識は強かった。明治新政府の中に一人でも多くの人材を送り込むことを目標に、各藩の流れを引く地方自治体は東京に学生寮を置くなどして地元の若者に勉学を奨励し、他藩出身者へのライバル意識を煽《あお》っていた。開成学校は時の最高学府として、各藩のエリートが集まり、自然、学内でもいくつかの派閥が形成され、弱肉強食の世界が展開されていた。

その中で、治五郎は今で言う「いじめられっ子」だった。後に東京帝国大学教授になる田中館愛橘《たなかだてあいきつ》はこう証言している。

「嘉納君が開成高校に在学していた頃、学校内にハイカラ派とバンカラ派があり、互いに睨《にら》み合っていた。ハイカラ派であった嘉納君が当時バンカラ派の一人であった千頭清臣《ちかみきよおみ》君（後に新潟、鹿児島県知事）に何かの時にその態度が気に食わないというので殴打されたことがあった。そこで嘉納君が何とかして弱い者が強い者に勝つ方法がないかと考え、それには柔道を習うのが一番適当な、そして最良なことだと考えて……（後略）」（『柔道を創った男たち』）

嘉納自身も書いている。

「自分はまず学問においては格別他人に遅れをとるとは思わなかったが、どうも体力では人に及ばないので、日本には柔術というものがある、その柔術を習っておけば自分らの如き弱い者でも他人に負けないだろうと、今日自分が立っているような高尚な考えはなく、ただ負けず嫌いから他人より侮辱を受けないようにしたいとひたすら体力を鍛えるばかりで柔術をやった」

後に「柔道の神様」と呼ばれる男にも、こんな前歴があったのだ。

開成学校に通い出した頃、治五郎少年は日本橋人形町弁慶橋《にんぎょうちょうべんけいばし》当りに治療所を開いていた「整骨師」八木貞之助と出会う。この頃、明治維新の到来とともに柔術の使い手は身を持ち崩し、糊口《ここう》を凌ぐために街場の整体師になったり、車夫をしたりしていた。江戸期に護身術として柔術を身につけたのは士族だったが、徳川三百年の泰平の世の中で大方の武術は錆《さ》び付いていた。しかも維新前後に起こった鳥羽伏見の戦いにおいてかつての士族は足軽の鉄砲の前になすすべなく敗れ、その信は地に落ちた。さらに一八七四年(明治六年)、七六年(明治八年)には佐賀の乱や神風連《しんぷうれん》の乱、あるいは七八年(明治一〇年)には西南戦争といった不平士族の反乱が頻発し、新政府は、かつて藩兵として武術を磨いた者たちに対して疑惑の目を向け始めていた。もちろん、すでに廃刀令は施行され、彼らが武士として生きる道は閉ざされ、まして柔術が活躍する場はどこにもなかった。

「整骨」の看板に目星をつけて、単身そのあばら屋に飛び込み「柔術を習いたい」と言った治五郎に対して、八木はこの時こう答えている。

「今の世の中に思いもかけない殊勝なことを言う」

だが八木は、確かに柔術の覚えはあったものの、すでに生活に追われて道場をなくしていた。仕方なく、日本橋元大工町(今の呉服橋《ごふくばし》界隈)に住むかつての同門、福田八之助を紹介する。結局治五郎は、稽古がない時は整骨の場となる福田の九畳の道場で柔術への第一歩を記録することになった。

やがて二年後、福田が死去。治五郎は家人の信用を得ていたことから秘伝の書一式を譲り受け、それを持って神田お玉ヶ池にあった天神真楊流《てんじんしんようりゅう》の磯正智道場に移籍。やはり二年後に磯も亡くなり、今度は元幕府の講武所の教授方であった起倒流《きとうりゅう》の飯久保恒年《いいくぼこうねん》につくことになる。

こうしてみると盥回《たらいまわ》しのような治五郎の稽古歴だが、後で考えるとそれがよかった。天神真楊流は、絞め技、関節技、押し伏せて押さえる技が中心。対して起倒流は投げ技中心。異なる体系の技が会得できた。磯門下時代、治五郎は入門と同時に師範代に指名され、毎日フラフラになりながら夜十一時頃まで稽古を続け、飯久保の下に入ってもその稽古熱は変わらなかった。福田への入門から約五年、三つの道場を渡り歩いたこの間に、後に「柔道」として世界に広まることになる柔《やわら》の技は体系化され、「神様」と呼ばれる肉体も完成されていったことになる。

やがて一八八二年（明治一五年）二月、治五郎は二十二歳の若さで下谷《したや》永昌寺《えいしょうじ》に自らの道場「講道館」を持つ。住職の好意で書院と付属室を借り受け、そこを生活の場とするとともに、十二畳の広間を書斎兼用の道場とした。この年、入門者九名。第一号は、治五郎より五歳年下で、すでに嘉納家の書生になっていた山田常次郎（後、明治二六年に富田家に養子に入って改姓）だった。

この頃の治五郎の稽古熱は、常次郎の筆に詳しい。

「講道館創立当時の如きは、当分先生一人に弟子一人という、実に貧弱な有り様であったことは、また止むを得ない次第である。もとよりこの頃は、まだ講道館という看板を掲げたわけでもなければ特に宣伝をしたわけでもなかった。いわば、嘉納先生が昔の柔術を改良して現今の講道館柔道を案出すべく、研究苦心の時代であったというのが事実である。(中略)私は先生に養われている書生であるから、幸か不幸か、否応なしに(稽古を)やらされた。しかも、日曜日などは日に三度も、稽古したというよりは寧《むし》ろ、先生のお草紙《ぞうし》となったわけである。(中略)全く先生一人に弟子一人で、寝ても起きても柔道一点張りであった」(『講道館柔道側面史』)

教育者としての顔を持つ嘉納

この頃の下谷永昌寺の嘉納の道場には、実はもう一つの特徴があった。柔道の道場だけでなく、嘉納塾という私塾と、弘文館(場所は南神保町)という私学が併設されていたことだ。

治五郎はこの頃、すでに東京帝国大学文学部政治学科、および理財学科を卒業し、一年間文学部哲学科の道義学と審美学の選科（今の大学院に当たる）に進み、一八八二年（明治一五年）から学習院の教壇に立っている。ところがそれだけに留まらず、「教育の人」であり「精力の人」でもあった嘉納は、自身のホームグラウンドでもあった永昌寺を自分自身の理想を追求する総合的な教育の場にしたいと考えていた。

嘉納塾とは、嘉納の言葉を用いれば「起居の間、智育、徳育、体育の何れにも偏らないように三育兼備を目標とした」生活塾だった。つまり嘉納とともに生活する寄宿舎だ。一方弘文館は、生徒には全て英語の原書で英文学を教授することを徹底した私学として産声を上げている。治五郎自身、十四歳の頃には芝《しば》の烏森《からすもり》にあった育英《いくえい》義塾で全ての学科を英語で学び、さらにその後、東京外国語学校の英語部に進んだ経歴を持っている。生涯を通して語学には相当の思い入れがあった。嘉納塾で治五郎と寝食を共にしていた富田は、弘文館にも五年間通い続け、後に郷里韮山《にらやま》の中学校で英語の教師となっている。柔道だけでなく、語学も嘉納に相当鍛えられていた。

富田は書いている。

「その頃先生の門人として、この永昌寺に同居していた青年壮年の人々も数名あったけれども、誰一人柔道の稽古をする人はいなかった。否《いな》、この人々も心中はやはりアンチ柔道の仲間であったろう」

ここに見るように、この頃の嘉納の活動の中で、唯一世間から理解されていなかったのは講道館での柔道だった。門弟たちは希望によって講道館、嘉納塾、弘文館を使い分け、むしろ柔道の稽古を行うのは少数だった。同時期、嘉納は華族の子弟が集まる学習院でも柔道を教えようとして、親たちから強い反対を受けている。後に鹿鳴館《ろくめいかん》時代と呼ばれることになる欧化一辺倒のこの頃のこと。柔術、柔のごときは旧幕府時代の遺物でしかなく、一般には喧嘩の道具としか思われていなかった。それでも学習院で柔道の講義ができたのは、嘉納の人柄と教育方針を支持した時の院長、谷干城《たにたてき》がいたからだった。

谷は嘉納塾や弘文館の活動を通して、教育者としての嘉納を評価していた。仮に嘉納が講道館だけを主宰していたならば、はたしてそれを許しただろうか。おそらく谷もまた、柔道と柔術の見極めもつかずに、親の意見に声を合わせていたはずだ。

柔道はあくまで教育である。それが嘉納のポリシーであり、活動方針だった。嘉納はこの頃、柔道を三つの分野に分けて教授している。

一つは勝負法としての柔道。二つは体育法としての柔道。三つは修身法としての柔道。後に、嘉納治五郎の甥《おい》の嘉納徳三郎（戦後、兵庫県御影町町長）は、その三法をこう書いている。

「勝負法の柔道では、従来柔術教師の用いてきた以心伝心的教授法を改めて、厳密なる力学の法則の上に立って、科学的に微に入り細を穿って重力の説明をせられ、極力、力学の法則に反する強引な技を戒められた。（中略）体育法としての柔道としては、危険な技をなるべく避け、身体各部の円満なる発達を計るため、各種の技を錬磨すること、技に無理をせぬことなどを特に奨励された。（中略）最後に修身法としての柔道に関しては、殊に深礼、礼譲、注意、その他道徳上の教えと柔道との関係を説き、懇篤なる指導をされた」（昭和九年『柔道』）

講道館が軌道に乗り始めた頃、一八八九年（明治二二年）、嘉納治五郎は文部大臣榎本《えのもと》武揚《たけあき》の前で「柔道の一斑並びにその教育上の価値」と題する講演を行っている。そこでも強調されているのは、その教育的な視点だ。

「（柔道とは）従来の柔術に就いて出来るだけ穿《せん》さくをどけました後、その中の取るべきものは取り、捨つるべきものは捨て、学理にてらして考究いたしまして、今日の社会に最も適当する様に組み立てました。（中略）柔術と申すものは、体育、勝負、修身の三つの目的をもっておりまして、これを修業しますれば、体育もでき勝負の方法の練習もでき、一括の智育、徳育もできる都合になっております」(『柔道百年』)

この頃はまだ嘉納の言葉の中にも「柔術」と「柔道」が混在している。もともと「柔道」という言葉自体は起倒流の教えの中に出てくる言葉であり、嘉納のオリジナルというわけではない。けれど後年、これを意識して使うようになったのは、やはり「柔術」という言葉の持つ前時代臭から脱却し、教育としての「道」を強調したいためだった。後にこう書いている。

「今柔術を教えようとしても、多くの人は省みることをすまい。殊に自分が教え込もうとするものは、昔の柔術そのままでなく、遥かに深い意味を有し、広い目的をもっているものであるから、むしろ在来の名称とは別の名をもって行うがよしと考えた。まず教えるに道をもってし、而して応用の術をも併せ教えるが適当であろう」(『作興』)

ここで言われる「深い意味と広い目的」こそ、青少年への教育だった。この方針の下、講道館は急激に門下生を増やしていく。明治一五年には九名、一六年には八名だった入門者が、一七年十名、一八年五十四名、一九年九十九名と増加し、二〇年には二百九十一名と急増。明治二五年までには約三千名の門下生を数えるようになる。すでに述べたように、明治一九年から二二年にかけて、講道館の実力者たちは柔術諸派との対抗戦にも勝ち抜いて、世間にも「柔道」の名前が浸透していった。

「力学の法則に則《のっと》った」柔道の技を駆使し、例えば身長百五十一センチ、体重四十五キロという小柄な西郷四郎が、柔術の看板を背負った巨漢たちを投げ飛ばすのだから、人気が出ないわけがない。この頃東京の子供たちの間では、山嵐という技を持つ西郷四郎が大人気で、「俺は講道館の西郷だ」という言葉が流行《はや》ったという記録もある。

「柔よく剛を制す」という、柔道のキャッチフレーズの誕生だ。

こうなると当初の嘉納私塾構想も微妙に変化していく。嘉納が公務に忙しく、文部省からの派遣でドイツに留学したこともあって、弘文館は明治一八年頃に衰退し、嘉納塾も道場の拡張とともに講道館に吸収されて、若者たちの憧れは、講道館柔道家としての嘉納治五郎に集約されるようになる。柔術の衰退を尻目に文部省高官の嘉納の力で学校教育の中に巧みに組み入れられた柔道は、次第に日本の武道の中心となっていく。

前田に影響を与えた嘉納が創刊した雑誌『国士』

その頃の嘉納の活動として、もう一つ忘れてはならないものがある。

嘉納は講道館、嘉納塾、弘文館の三つの活動だけでは飽き足らず、さらに教育者としての大きな夢を描いていた。それは、全国の若者に嘉納流の教育を施《ほどこ》すことだった。そのために、一八九八年（明治三一年）一〇月、嘉納は教育を目的とした新雑誌を創刊している。

その名を『国士《こくし》』という。創刊の目的を、嘉納は後にこう語っている。

「(青少年教育について) 維新後、我が国は外国の文物を摂取して、急速に近代化されたとはいえ、なお、文化、政治、経済、国力を欧米各国と肩を並べて遜色《そんしょく》ないところまで高めることが緊急のことである。これには、国の現状と将来を自覚し、その実現に努力する人、すなわち国士を一人でも多くつくる必要がある」

国士。すなわち「一国の中で優れた人」。または「一身を捨てて国のために尽くす人」。ちょうどこの時代、日本には暗雲が立ち込めていた。一八九五年に勝利を納めた日清戦争後の三国干渉（英、仏、ロシアによる終戦条約の修正）に始まって、北方では朝鮮半島や満州（現・中国東北部）でのロシアの勢力拡大。さらに目を南に転じても、維新直後から始まったハワイへの移民が、この頃初めて上陸拒否にあっている。日米摩擦の兆《きざ》しが現れた頃でもあった。

国内でも金本位制度の確立は朗報だが、銀貨暴落、景気後退、物価上昇といった複合状況から、企業の倒産が相次ぎ、不況が深刻化してきている。ここから日露戦争に勝利するまでの約十年間は、日本人には暗い、屈辱の時代だった。

その中で若者たちは、維新で藩が崩壊したために「身分」からも比較的自由になり、突然目の前に開けた立身出世レースに夢中になった。「自分がやらなければ」「やればできる」という気分が蔓延《まんえん》し、頑張って出世することが国の成長にもつながると信じて疑わなかった。

そういう時代の雰囲気の中で嘉納は、自ら教育を天職と任じて、この若者たちの精力を「善用」しようと考えた。すでに外国の教育事情も視察していた彼は、欧米諸国が相手にしない三等国に甘んじている日本を一等国に成長させるためには、若者に賭けるしかないと信じていた。その意味で「国士」とは嘉納の教育の理想像であり、また若者たちの夢の具現化に他ならなかった。

だがいかに講道館が隆盛とは言っても、今日のように交通機関が発達していない当時にあって、そこに集まる若者の数には限りがある。その教えを全国に広めるためには別の方法を考えなければならない。そこで嘉納は「造志会」という組織を作り、自らその会長となって全国の若者にメッセージを発するための雑誌『国士』の発行を思いついた。

月刊『国士』には毎号、気鋭の学者や政治家が筆を振るったが、その巻頭言を飾ったのは、いつも嘉納の言葉だった。

「まず一身の独立をはかれ」「偉人を景仰して感奮興起《かんぷんこうき》せよ」「修業鍛錬」「我の及ばざるを知れ」「遠大にして着実なる目的」「死して惜しまるゝ人たれ」等々。

いかにも「新国家を若者の力で建設せん」というエネルギーに溢れた、彼のポリシーが熱くほとばしっている。

ちょうどこの雑誌が発行され始めた頃、前田光世は弘前から上京し、柔道、講道館、そして嘉納治五郎と出会っている。この頃の講道館の門下生が雑誌『国士』を手にしないわけがない。前田もむさぼるように嘉納のメッセージを読んだはずだ。後の彼の行動を見ると、見事に嘉納の理想に挑戦していることが感じられる。

柔道で身を立て、嘉納の夢を世界に継承し、一等国民である欧米人の力自慢たちを次々と打ち破り、後、「わが民族発展の地はこのアマゾニアにあり」と叫んで単身アマゾン開拓に身を捧げていく——。

後で詳しく述べるが、「何故前田が選んだのはアマゾンだったのか」という疑問を突き詰めていく時、「そこに日本人が誰もいなかったから」という、彼の「独立独歩」の開拓精神が見えてくる。またアマゾンに到着する以前の中南米では日本人移民の開拓の苦難を目にし、アメリカでは「排日」の気運を肌で感じてもいたから、晩年の歴戦の旅は、「日本人開拓移民の理想地探し」だったとも理解できる。いずれも恩師・嘉納が説く「国士たれ」という言葉に対する、前田光世の答えだったはずだ。

前田だけに限らず、当時の講道館に集う若者たちにとって最大の「偉人」は嘉納治五郎だった。生涯をかけてその存在を乗り越え、自分も嘉納に劣らぬ事業を成し遂げようとすることが、「講道館」に集った若者たちの夢だった。

夢多き時代――。若き目の前田やこの時代の若者たちを育んだのは、そんな明治という日本の揺籃期の持つ、時代の息吹でもあった。

英語が苦手だった前田少年

こうした背景の中、前田光世は十八歳になった一八九六年（明治二九年）五月、ちょうど故郷の弘前城が桜で埋まる頃、に勇躍上京してくる。そこで講道館の門を叩き、全国から集まった猛者に混じっての八面六臂《はちめんろっぴ》の活躍が始まるわけだが、すでに「規格外れ」の若者だったことは、弘前での足跡からも窺える。

前田光世は一八九三年（明治二六年）に入学した青森県尋常中学校（旧制弘前中学、現・弘前高校）を二年で中退して、九六年（明治二九年）に、開校したばかりの早稲田中学に転校している。その前後の前田の足跡を辿ると興味深い。中学への入学、そして転出の年を計算すると、普通よりも入学の年齢が遅いし在学年数も一年計算が合わない。当時は五月に新学期が始まり四月に終わっていたから、九六年五月の上京は頷《うなず》けるが、三年かかって二年生に進級したことになる。

この頃の青森県尋常中学校は、県下で唯一のエリート校だった。だが当時の資料を辿ると、現在の価値観で見れば「風紀、規律がめちゃくちゃな学校」だったようだ。

まず生徒たちの入学年齢もまちまちなら、落第率も非常に高かった。例えば明治三〇年時の一年生では、最年長が十七歳、最年少は十二歳、平均が十四・五歳。同学年でありながら、実に五歳も年が離れた生徒が机を並べていたことになる。明治二七年の資料には、生徒の欠課（授業のサボタージュ）の統計もある。一年生の最多は全八百十三時間中、五百五十三時間。平均が七十四時間。これはまだ可愛いほうで、同じ年の五年生になると欠課の平均が百七十七時間。これでは落第が多くても仕方ない。明治三〇年の学期末試験では、一年生二百三十五名中、七十四名（約三十一％）、二年生九十三名中、十三名（約十四％）が落第している。

生徒の生活も、今とはだいぶ違っていた。教室の隅には煙草盆が置かれ、卒業式には酒と肴《さかな》が出されるのが普通だった。

もちろん、こうした現象は、この学校が青森県に最初にできた学校であり（当初は青森市に作られ、後、弘前市に移った）、当時のエリートたちが集まっていたことにも起因しているはずだ。入学試験の競争率も明治二八年で三倍。合格者は弘前市内の者が圧倒的に多く、しかも元士族の子弟がほとんどだった。まだ年齢的には十代とはいえ、厳しい入試を経て晴れて尋常中学に入ったというだけで、すでに大人と見なされていたようだ。

前田光世の戸籍を見ると、前田家は武士の出ではあるが「平民」と記載されている。しかも船沢村は市内から約十キロ離れた僻村《へきそん》だ。入学は十五歳。二年生になるまでに三年かかり、途中で転校している……。こういう事実を突き合わせていくと、前田はエリートではあったが経済的にも学力的にもかなり無理をして尋常中学に入学し、しかも一度落第して二度目も危なくなったので東京の学校に転校したのではないかという推測も成り立ってくる。

事実、弘前高校の大きな金庫に残る前田光世の成績簿には、英語に赤点の記録が残っている。また早稲田中学への入学試験においても、前述した同郷の作家薄田は「鼻の頭に脂汗を滲ませて、前田君が苦しんでいた」という意味のことを書き残している。後にアメリカを振出しに世界を渡り歩く前田光世も、どうも少年の頃は英語が鬼門だったようだ。しかも、相当にバンカラな雰囲気の中で十代を過ごし、そのままの勢いを引きずって上京してきている。

東京でも、前田とその仲間たちのヤンチャな蛮行《ばんこう》は、いくつか記録に残っている。そこからは、後に世界を舞台にして暴れまわる姿を彷彿《ほうふつ》させる、明治の若者の豪快な姿が見えてくる。

酒豪前田の武勇伝

後に、前田とともに講道館三羽烏とうたわれた佐村嘉一郎が書いている。

「前田君は、神田の裏長屋のようなところで大野（秋太郎）君、松代（林太郎）君らと自炊生活を始めた。私は亀戸にいたので、時々そこに行ってはご馳走になる。大野氏は一番まめにやった。当番で飯をたくのだが、前田君はたけない。男三人いずれも酒好きだからたまらない。銭があれば困っている友人へもやるし、酒代も余計にいるのでいつも財布は

明治45年春に撮影された『玖瑪（キューバ）の四天王』と題された写真。右より前田、伊藤徳五郎、佐竹信四郎、大野秋太郎。互いに技を掛け合う乱取りの演武を行いキューバでも人気を博したという。（国立国会図書館「ブラジル移民の100年」より転載）

空だが金などは何とも思わぬ。親分気分で前田君が武勇伝でも読んでいると、大野君も気負けして飯をたく。この自炊はやがて解散し、机など車に積んでまた下宿へ行く。私は明治三三年の正月、京都の武徳会へ行く。前田君とは足掛け三年の交際であった」(『前田光世の生涯』)

ここに登場する大野(後に五段)は、前田から少し遅れて講道館にやってきた巨漢だった。後イギリス、メキシコ、キューバ等に遠征した時についたリングネームは「ダイブツ＝ＤＡＩＢＵＴＳＵ」。遠征中は前田と同じ釜の飯を食べ、伊藤徳五郎、佐竹信四郎と四人で並んで「キューバの四天王」というキャプションがついた写真が残っている。

二十代前半の、正に青春を謳歌《おうか》していた時代、前田は相当な酒豪だった。飲んでは歌い、歌っては仲間と連れ立って東京の下町を闊歩《かっぽ》し、時には町の乱暴者とのいざこざもあった。

薄田は、「神楽坂のボロ書生、一斗三升の酒を飲んだ新聞記事に因《よ》って、群童に魁《さかぎけ》たる虚名をうたわれた我が前田光世君」と書いている。一斗三升は(一升ビン13本分)大袈裟と思いたいが、大野や松代、あるいは佐村といった講道館の猛者たちが集まって気勢をあげれば、そのくらいの酒は露のごとく消えていったのかもしれない。

薄田の筆によると、東京の街頭は、前田たちの「武勇鍛錬の場」でもあった。

「お茶屋の廊下で乱暴者十余人をバタバタと足払いにかけては平手で胸を拍《う》って倒した話や、下谷辺の武道場開きへ招待されて居合作蔵氏と同行した帰途、したたか酒を飲んで酔《すい》歩蹣跚《ほまんさく》のところへ、土地の遊び人風情の大男が五人、狭い道に立ちはだかって遮ったのを、左右の手で同時に前なる二人を引っぱたくと、二人共ばったり倒れて起き上がらず、他の三人は尻込みして逃げ出した。居合氏は倒れた二人が頭脳を打って死んだのではないかと心配し、前田君を促してその場を去ったが、その時の前田君の早業は目にも留まらず、その勇敢な態度は物凄かったと語った」

薄田によると、居合作蔵という男もまた、五尺やっと（百五十五センチ程度）の小柄ながら「講道館一の街頭勇者」であったという。その居合が前田の豪勇ぶりに魂消《たまげ》てしまったのだから、横山作次郎氏の秘蔵弟子として驍名《ぎょうめい》を博した前田君の街頭格闘ぶりは……と、この頃の手柄話はドミノ倒しのように次々と話が展開していってきりがない。

当時の早稲田（当時の名称は東京専門学校）の運動会は、向島《むこうじま》の堤下の桜爛漫《らんまん》の季節に行われた。この時、一番の景品は、相撲トーナメントの優勝者へ与えられる米一俵だった。前田の在学中、いつも決勝に進むのは前田か、後に、やはり中南米で前田に同行することになる佐竹信四郎だった。そしてここでも、向島の帰りは酒になる。浅草公園に入り、同行のメンバーで底抜けに飲み、そしてふたたび街頭実演が繰り広げられる——。のどかな明治の青春風景だ。

一方東京での交友は、講道館の仲間だけではない。弘前から共に上京してきた仲間や、早稲田中学で知り合った者たちもいる。彼らもまたこの時代の若者らしくバンカラだった。昭和に入ってから、早稲田時代の仲間が遠くアマゾンに留まる前田を偲《しの》んで、一夜集ったことがある。

その時の様子を、薄田が書いている。

「恐らく、(この夜集ったのは)日本における前田君を最もよく知った人々であろう。(一人は)福島県人で三浦計氏。今は内幸町《うちさいわいちょう》の日産会社の人である。(中略)その次は前田君と同郷同学の古川重素《しげもと》氏で、早稲田の下宿屋で毎晩我々が花札を引いては九時頃になるとどてらや夜具を着て出かけて、途中でこれを典した銭を懐へ入れては神楽坂の『いろは』へ上楼して十二時近くまで牛鍋を囲んだ頃の音頭取りである」(「前田君と同郷同学の友として」『前田光世の生涯』所収)

古川は、昭和に入ってから樺太本斗町《からふとほんとちょう》の名誉町長となった。

さらに続いて押川清。

「前田君とは早中時代から親交が結ばれた間である。早大の野球団総帥《そうすい》として渡米して以来の野球の押川で、今は後楽園野球団の会長である」

この押川の兄、春浪《しゅんろう》は、明治末期から大正期にかけての冒険小説の編集者であり売れっ子作家だった。『冒険世界』や『武侠《ぶきょう》世界』という雑誌を主宰し、前述した薄田斬雲の著書は、当初この雑誌に「世界柔道武者修行通信」として掲載されている。学生時代、前田たちは大久保にあった押川兄弟の家で雑魚寝《ざこね》することもしばしばだった。その時の友情が、後に前田の世界歴戦の旅を日本で出版する契機となった。

さらに工藤十三雄《とみお》と藤田重太郎《じゅうたろう》。

「工藤氏は、郷里の弘前中学時代同じ屋根の下に寝、同じ釜の飯を食ったことのある間柄で（筆者注　前田が工藤家に下宿していた）、前田君の性格気質などは誰よりもよく知っているはずである。郷里青森県の代議士などをして、鉄道次官になった。（中略）藤田君は、早大時代には同時に大学の寄宿におり、毎晩一緒に出て神楽坂の牛肉を食った仲間である。今は郷里におり、青森県会を指導している」

ここに見るように、前田光世の周りに集まった仲間たちは、いずれも後に各界の指導者になっている。彼らとは、正に刎頸《ふんけい》の交わりを結び、夜な夜な酒を酌み交わしては「(大陸に渡って) 馬賊《ばぞく》か海賊になろうとよく語り合ったものだ」と後に佐竹が語っている。早い時期から、前田の周囲の若者たちの夢は世界を駆け巡っていた。

同時にそれは「国士」として、欧米列強の下位に位置づけされるこの国を、一等国に引き上げんとする、若者たちの血のたぎりでもあった。

柔道普及のためアメリカへ

日清戦争以後の時代であるから、男子の夢の王道は軍人になることだった。広瀬や湯浅に見るように、講道館からも多くの仲間が陸軍、あるいは海軍制服を着て大陸へ出て行った。軍人にならないまでも、個人の立場で大陸に渡り、そこに王道楽土《おうどうらくど》を建設しようとする国粋主義的な流れもあった。玄洋社《げんようしゃ》(一八八一年設立の国家主義的政治結社)の頭山満と親交があり、一八九五年(明治二八年)にウラジオスットクに梁山泊道場を開いた内田良平らがこの流れになる。長崎に去った西郷四郎(姿三四郎のモデル)も、後に大東義塾《だいとうぎじゅく》という私塾を開き、大陸問題に傾斜していった。後に「大陸浪人」と呼ばれる在野の「国士」たちの活動も、この頃始まっている。もちろん国内に留まって政界に入る者や、言論活動に踏み込んでいく者もいた。

その中にあって前田は、ひたすらに柔道に殉じる道を選んだ。

講道館三段に進んだ一九〇一年（明治三四年）以降、前田は嘉納治五郎の勧めで早稲田大学（明治三五年に改称）、陸軍幼年学校、学習院、高等師範、そして一高の道場等で師範として活躍した。この頃講道館では最高位が六段で山下義韶《よしつぐ》と横山作次郎の二人。五段が富田常次郎、永岡秀一、戸張滝三郎《とばりたきさぶろう》、そして九州に去った西郷四郎の四人。四段に広瀬や飯塚らが並び十七人。前田たち三段は十五人。実質的に稽古をリードしていたのは、三段、四段の若者たちだった。

しかも前田は、嘉納が教師として教壇に立っていた学習院や一高、高等師範といった学校へ柔道師範として派遣されている。当時の前田の強さが、嘉納の目にも留まっていた証拠だ。学習院で五人掛りを行った時は、前田は最強の五人を勝ち抜き、時の院長、近衛篤《このえあつ》麿《まろ》公に賞賛されてもいる。本人が言うように、いくらも年が違わないこれらの生徒との稽古の中で、前田の柔道は磨かれ、体力も養われていった。軍人でも在野の浪人でもなく、ひたすら柔道に向かい合って過ごした二十代前半の日々――。

やがて一九〇四年（明治三七年）、前田光世がいよいよその夢を開花させて、世界に足を踏み出す時がやってくる。すでにこの頃アメリカでは、講道館初期の四天王の一人、山下義韶が柔道普及のための活動を始めていた。日本を一等国に成長させるためには、伝統文化である柔道を欧米に広める必要があると感じていた嘉納治五郎は、さらに山下の先輩に当たる富田常次郎をアメリカへ派遣することを決めた。この時富田は四十歳。五段とはいえ、すでに第一線からは退いて、弘文館仕込みの英語を生かして故郷韮山で英語教師をしたり、講道館韮山分教場を開いて後進の指導に当たっていた。

──富田には現役の猛者を一人つけたほうがいいだろう。

嘉納治五郎はそう判断して、愛弟子の前田光世に白羽の矢を立てた。

前田にとって幸運だったのは、この頃先輩の永岡五段や磯貝一《いそがいはじめ》四段たちが京都の武徳会（日本武道の総本山として明治二八年に設立された財団法人）に派遣されていて、渡米できないことだった。仮に彼らが講道館に残っていたら、はたして先輩を差し置いて前田が選ばれたかどうか。後に永岡は「自分も行きたかった」と述懐している。海を渡って異国の地で自分の力を試すことは、当時の若者にとっても共通の憧れだった。

二人の派遣が決まると、富田には八月九日に六段が、前田には一〇月二三日に四段が与えられている。まず富田の派遣が決まり、その同行者として前田が決まった過程が、この日付のずれによく現れている。

「二人合わせて十段がいいだろう」

と嘉納が言ったと、半田義麿（後に九段）が書いている。

一〇月一七日。講道館では紅白勝負が行われ、試合後、前田光世の渡米記念の写真撮影が行われた。そこには前田を囲んで、横山作次郎、佐竹信四郎、轟祥太郎、伊藤徳五郎、大野秋太郎らが居並んだ。多くの仲間を軍人に取られ、京都武徳会にも強豪を派遣していただけに、やや寂しい陣容だ。

渡米に当たって、前田は時の衆議院議員、犬養毅《いぬかいつよし》から二尺三寸の日本刀「長船《おさふね》」を贈られた。自分ではフロックコートを新調し、西欧社会との出会いに備えた。

故郷に残る戸籍簿によると、出発直前、前田が故郷柏木村に住む古川タカと協議離婚したという記載がある。当時前田は東京で家庭を持っていたという記録は見当たらないが、故郷では、何らかの理由で形だけは結婚したことになっていたようだ。

その家庭をも振り切って、前田は渡米に備えた。現在とは違って、一度海を渡ってしまえば帰国もままならない。まさに、水盃を交わしての船出だったのだ。

出航は一九〇四年（明治三七年）一一月一六日。横浜を出る「伊予丸」に乗り込んで、前田光世は初めて見る太平洋に乗り出して行った。

三章

華盛頓《ワシントン》

一九〇五「日露戦争」

日露戦争開戦

前田光世が初めて太平洋を渡った一九〇五年（明治三七年）から一九〇五年（明治三八年）といえば、歴史的には西欧諸国の視線が初めてアジアに集中した頃として記録されている。片やユーラシア大陸の大国ロシア、片や日清戦争では勝利したものの、欧米列強には「三等国」のレッテルを貼られていた極東の小国日本。両国が満州を挟んで対峙し、一九〇二年（明治三五年）の日英同盟締結を機に、正に一触即発の緊張感に溢れていた。

日露の戦いはまた、帝国主義時代の最初の強国間の戦争とも言われている。結果次第では、その後の世界地図は大きく塗り替えられる可能性があった。

一九〇四年二月一〇日、ついに旅順《りょじゅん》を舞台として「日露戦争」の火蓋《ひぶた》は切って落とされた。日露両軍は共にシベリアの大地に戦火が広がることを恐れながらも、満州と朝鮮半島における権益を譲らなかった。

開戦の報を聞きつけた時、西欧諸国が何よりも恐れたのはロシアの勝利だった。ここでロシアが勢力を伸ばせば、アジアは全てロシアの手に落ちる。

だが西欧人にとってもう一つの危惧《きぐ》は、この戦いが白人対黄色人という「人種間の戦い」でもあるという点だった。だとすれば、白人が勝たなければならない。絶対優位である白人が黄色人に負けるはずがない。それもまた、当時の欧米人の常識だった。

やがて一年後。戦いは意外な場所で、意外な収束への足跡を残している。

ルーズベルトから知らされた日本海海戦勝利

その日、アメリカ合衆国の首都、ワシントンD．C．の空は、文字通り五月晴れが広がっていた。五月三〇日のメモリアルデイ（南北戦争以降の戦没者記念日。現在は五月の最終月曜日、当時は五月三〇日に固定）を二日後に控え、ホワイトハウスの担当者たちは、一万六千人が参加する予定のマンハッタンでのパレード等、諸々の行事の準備に追われていた。

もっともこの日、一九〇五年五月二八日は日曜日。時の為政者、第二十六代大統領、セオドア・ルーズベルトは、激務の合間の休日を、この頃興味を抱いていた日本の格闘技の稽古に当てようとしていた。

この時大統領は四十六歳。史上最年少の四十二歳でアメリカの頂点に就いたこの青年政治家は、この後在任中に、たまたま日本からアメリカへ視察に訪れた横綱常陸山《ひたちやま》と対戦しようとしたり、五十歳で大統領を引退してからも、若さを持て余してアマゾン探検に出かけたというエピソードを持つほどに、精気に溢れた人物だった。愛称はテディ。その立派な体格と愛嬌《あいきょう》に溢れた風貌《ふうぼう》から、この頃ドイツから入ってきた熊の縫いぐるみに「テディ・ベア」の名前が付き、全米で最初のブームを巻き起こしてもいる。

一八五八年、ニューヨークの資産家の家に生まれた彼は、幼少の頃は喘息《ぜんそく》がちで病弱だった。ところが身体を鍛える意味で種々のスポーツに親しむうちに体力に自信を持つに至り、一八九八年に勃発《ぼっぱつ》した米西戦争では、海軍次官補の職を辞任して「ラフ・ライダーズ(ROUGH RIDERS)」と呼ばれた義勇隊を率いて従軍するまでになる。

そうした経験からか、「柔よく剛を制す」「小さい者が大きい相手を投げ飛ばす」日本の柔《やわら》の技に接するると、たちまちその虜《とりこ》になった。前年の三月から週に二回、彼は日本から来た柔道の師範をホワイトハウスに招いて、自ら稽古着を着て投げ技や絞め技の研究に余念がなかった。

だがこの日、一九〇五年五月二八日に限っては、もう一つ彼の「格闘心」を興奮させるニュースがあった。同日未明、ホワイトハウスには一本のニュースが届いていた。

――日本時間二八日午前十時過ぎ。日本海対馬《つしま》沖で行われていた海戦において、ロシア・バルチック艦隊のネボガトフ少将は、旗艦「ニコライ一世」に白旗を掲げ、日本海軍司令艦「三笠《みかさ》」に投降す。

前日二七日の早朝に始まった日露戦争の雌雄を決する日本海海戦は、ロシア艦隊側の沈没十九隻、捕獲五隻、死者五千名、捕虜六千名を出すという完敗に終わった。対する日本海軍側の戦禍は水雷艇三隻を失っただけ。史上稀に見る、日本の圧倒的な勝利だった。

この時期のルーズベルトにとって、日露戦争はアメリカ国内の政治課題よりも大きな問題だった。それは遠くアジアの出来事とはいえ、仮にロシアが日本を下して朝鮮半島、および満州を支配することになれば、アメリカとしても対抗手段を講じなければならない。「棍棒《こんぼう》を手にしつつ穏やかに話す」と呼ばれる飴と鞭《むち》を駆使した、いかにも大国的な外交政策を旨とする彼にとっても、ロシアを相手に棍棒を用意することになったら事態は複雑だという思いがあった。

だがその心配も、ロシア海軍の敗戦により杞憂《きゆう》に終わり、これで前年から続いていた日露戦争の勝敗もはっきりした。恐れていたロシアの南下も収まりそうだ。その安堵感《あんどかん》もあったのだろう。「コングラッチュレーションズ、プロフェッサー・ヤマシタ」

ルーズベルトは、そう言いながらにこやかに笑って、ホワイトハウスの仮設道場に現れた柔道師範、山下義韶六段（当時四十歳）の手を何度も強く握りしめた。

一方この日山下は、いつものとおり稽古を始めるつもりでホワイトハウスにやって来ていた。その言葉を聞いても、最初は何のことかわからなかった。日頃から赤ら顔のルーズベルトがさらに顔を真っ赤にしていたことから、何かとてつもないことが起こったのだろうとは察知したが、よもやそれが日本の命運を左右するニュースとは思っていなかった。やがて説明を受けて日本海海戦で日本海軍がロシア艦隊を全滅させたことを知ると、あまりの感激に、山下はその場に泣き崩れたという。

講道館黎明期の四天王の一人で、後に講道館初の十段を受けることになる柔道家の涙腺《るいせん》を無防備にさせるほど、その報せは予想外であり、また喜ばしいものだった。

実際、市内にあるレンガ作りの日本公使館では、この時まだ「日本海海戦勝利」の報は届いていなかった。山下が喜び勇んで公使館に駆け込むと、公使以下駐在武官らもこのニュースには半信半疑だった。無理もない。海戦が始まったのは前日二七日の未明。わずか一昼夜程度で無敵と言われたバルチック艦隊が全滅し、時のロシア皇帝の名を冠した旗艦にテーブル・クロスで急造した白旗があがることなど、日本軍部の要人ですら誰も想像していなかった。

——とはいえ、アメリカ大統領がそう言うならば間違いないだろう。

公使以下外交官たちは口々にそう言い合って、初めて「万歳」の声をあげたという。

この時期、ルーズベルト大統領は日本にとっては最重要人物の一人だった。開戦前、枢《すう》密院《みついん》議長の伊藤博文《いとうひろぶみ》は、元司法大臣の金子堅太郎を呼び、「アメリカに渡ってルーズベルトと国民の同情を喚起して、ほどよいところでロシアに対して停戦講和に乗り出してもらえるように工作してほしい」と指示を出している。金子はアメリカ留学時代、ハーバード大学法学部でルーズベルトの同窓だった。その友情にすがらなければならないほど、大国ロシアに対して日本の不利は誰の目にも明らかだった。

当時の国力は、軍艦の保有数に比例すると言われている。一九世紀末の両国のそれを比較すると、「大人と子供」というよりも「大人と幼児」とも言うべき開きがある。

ロシアが保有していたのは一万トン級戦艦十隻、七千トン級戦艦八隻、七千トン以下級戦艦十隻、一等巡洋艦十隻。これに対してこの頃日本が持っていたのは、数隻の二等巡洋艦にすぎなかった。日清戦争は、それでも戦い抜けた。しかい今度の相手は大国ロシアだ。明治政府は日清戦争から日露戦争までの十年間の応急処置によって、貧相な軍備を一応は「海軍」と呼べるものに仕立て上げた。ロシアに対して国交断絶を宣言する一九〇四年二月には、第一級戦艦六隻、装甲巡洋艦六隻を持って、世界の五大海軍国の末端に名を連ねるまでになった。

もちろん、そのためには相当の無理を重ねている。日清戦争下の一八九五年（明治二八年）の国家総歳出が九千百六十万円余りであったのに対して、翌九六年の歳出は二億円余り。しかも九五年の総歳出に占める軍事費の割合が三二％なのに対して、九六年は四八％。九七年にはさらに五五％へと膨らんでいる。ほぼ十年間、国家予算の半分以上が軍事費という、異常事態が続いたわけだ。

そのしわ寄せを受けたのは、もちろん国民だった。貧しい生活の中で、人々はただただ国のために耐え続けた。その精神を支えたのは、日清戦争後の三国干渉時に流行語になった「臥薪嘗胆《がしんしょうたん》」という言葉だった。「一等国」「三等国」という言葉が庶民の日常会話の中で頻繁《ひんぱん》に使われたのもこの頃のことだ。どんなに不利が予想されても、満州や朝鮮半島を目指して南下してくるロシアとの対決を選ぼうとしたのは、西欧列強と肩を並べ「一等国民」になりたいという、「明治の日本人」のプライドのなせる業だった。

開国から三十年。ここでロシアを叩いておかなければ、中国に見るように列強の植民地と化してしまう。司馬遼太郎《しばりょうたろう》が後に「世界の片田舎の国が、初めてヨーロッパ文明と血みどろの対決をした」と書いた日露戦争は、文字通り国家の存亡を賭けた戦いだったのだ。

その頃、偶然とはいえ、ちょうど開戦と前後して山下がホワイトハウスに出入りするようになっていた。もちろん、ルーズベルト大統領直々の依頼なのだから、入り口の門をくぐるのも煩雑な手続きなしだ。稽古を重ねるうちに、大統領とは家族ぐるみの付き合いになっている。当時の日本政府、および軍部が考えていたのは「先制攻撃をかけてロシアの機先を制し、なんとかアメリカに仲裁してもらって引分けに持ち込もう」という作戦だったのだから、そのジャッジマンたるルーズベルトは、何としてでも味方に引きつけておかなければならない存在だった。

後年、当時ワシントン駐在武官補であった竹下勇は、「山下さんにはいろいろ世話になった」と語っている。記録には残っていないが、当時のワシントン駐在の日本の外交官たちは、非公式にホワイトハウス周辺の様子やルーズベルトの言動を、山下から聞き出していたことも考えられる。

——コングラッチュレーションズ、プロフェッサー・ヤマシタ。

ルーズベルトのこの言葉は、それだけに、山下のみならず全ての日本人にとっての朗報となった。

それにしても、開戦時の両国の兵力を比較すると驚いてしまう。ロシアの常備兵二百万人に対して、日本軍は二十万人。ロシアの歳入二十億円に対して、日本は二・五億円。日本は、約十倍の相手に対して戦いを挑んでいったのだ。

後に司馬はこの勝利を、「ひやりとするほどの奇跡」と記している。強大な相手に対して日本が勝利を収められたのは、ひとえにロシアの油断につけこんでことごとく相手兵力を分散させ、決して総力戦に持ち込ませなかった陸・海軍の戦法にあった。

開戦前、ロシア皇帝ニコライ二世は、公文書にも日本のことを「猿」と書いていたという。極東への進軍を求める部下に対しては、「私は戦争を欲しない」と伝えている。「なるほど日本も中国もロシアの言うことをきかない。それはロシアが東洋の国々に対して遠慮がちな態度を示してきたからだ。彼らに命令をきかせる手段は、一つしかない。威圧である」

そう語ったという。

――日本など、ロシアが威圧すればすぐになびいてくる。

それがロシア皇帝ニコライ二世の、ひいてはロシア軍人たちの日本観だった。完全に日本を見くびっていた。苦もなくひねり潰せる相手と思っていた。

同時にそれは、当時の西欧列強の認識でもあった。白人が黄色人種に劣るわけがない。まして地図を広げて見よ。ユーラシア大陸の半分を占める国が、極東の隅の染みのような島国に負けるはずがないではないか。

ところがわずか三十時間程度の戦いで、日本海軍は圧倒的な勝利を収めた。すでに前年には旅順も落ちている。もはや極東の島国が、大国ロシアを見事敗北に追い込んだことを信じないわけにはいかない。

ホワイトハウスにおけるルーズベルト大統領の祝いの言葉は、この「奇跡」に対する最高の賛辞であると同時に、日本という国家のアイデンティティが初めて西欧列強に認められた証でもあった。

そのアイデンティティとは、一言で言えば、「小よく大を制す」。

この時初めて日本、および日本人というものの存在が西欧に強く認知された。しかもそれは、当時ルーズベルトが興味を持っていた「柔よく剛を制す日本の格闘技＝柔」の技と見事に重なるものだった。つまり近代社会において日本、および日本人が獲得した最初のアイデンティティは、「大男（大国）を投げ飛ばす小さな、しかし強靭《きょうじん》な格闘の人（国）」だったということになる。

『武士道』を愛読していたルーズベルト

もっともこの時、ルーズベルト大統領の「柔よく剛を制す」という日本の格闘技への認識は、正確に「柔道」だけを指していたわけではなかった。何故ならルーズベルトは山下と出会う前から、日本の格闘技を文化としてとらえ、並々ならぬ興味を示していた形跡があるからだ。

この日を遡ること約六年前。ルーズベルトは日本人の著した一冊の書物に深い感銘を受け、友人たちにそれを配って回ったことがある。

新渡戸稲造《にとべいなぞう》『武士道』。

一八九九年（明治三二年）、新渡戸が病気療養中のアメリカで記したこの書は、同年『BUSHIDO, THE SOUL OF JAPAN』というタイトルでまずアメリカで出版され（日本では翌年出版）、ルーズベルトのみならずアメリカの知識階級に驚くほど広まっていった。

やがて六年後、ちょうど日露の砲声がかしましい頃には十版を重ねるに到り、改めてニューヨークとロンドンで同時に再発行されている。同じ時期には、マレー語、ドイツ語、ボヘミヤ語、ポーランド語、ハンガリー語、ロシア語への翻訳も完成し、ほぼ全世界の人々に読まれていった。

そこではまず、「武士道とは武士の掟《おきて》であり、高貴なる者の義務＝ノーブレス・オブリージュである」と定義された。以下十七章にわたって、「道徳体系としての武士道」「義」「勇」「仁」「礼」「誠」「名誉」といった、日本の侍社会が形成してきた諸々の道徳観念が説《と》かれている。

その第十章「武士の教育、および訓練」の中で、新渡戸はこう書いている。

「柔術は、これを簡単に定義すれば、攻撃および防御の目的に解剖学的知識を応用したものといいえよう。それは筋肉の力に依存しない点において角力《すもう》と異なる。また他の攻撃の方法と異なり、何らの武器を使用しない。その特色は敵の身体のある箇所を摑みもしくは打ちて麻痺《まひ》せしめ、抵抗する能《あた》わざらしむるにある。その目的は殺すことでなく、一時活動を能わざらしむるにある」

もちろん、この書がここに見るようにただ戦いのノウハウだけを書いたものであったならば、これほどまでに欧米社会で広まったはずはない。むしろこの書の本質は、日本という欧米からみた異文化の紹介にある。例えばその第十二章において、新渡戸は日本の侍文化の一つの象徴であった「腹切」という古来の風習への、西洋的視点からの理論付けを行っている。

曰く、「シェイクスピアを学びし者には、(切腹は) そんなに奇異なはずはない。何となれず彼はブルトゥスの口をして『汝の魂魄《こんぱく》現れ、我が剣を逆さまにして我が腹を刺さしむ』と言わしめている」

さらに、何故日本人が「腹」という場所を選んで切るかについては、「これを以て霊魂と愛情との宿るところとなす古き解剖学的信念に基づく」とし、「創世記」の中のモーゼの言葉や聖書の中の記述を引用しながら、この習慣が決して野蛮な行為ではないことを力説する。

その論拠をキリスト教的知識においたところがクリスチャン新渡戸の真骨頂であったはずだし、この書を広く西欧社会に知らしめた要因だった。

その新渡戸が、「筋肉の力に依存しない」「解剖学的知識を応用した」「武器を使用しない」格闘技として「柔術」を紹介している。ルーズベルトでなくとも、西洋の科学性に裏打ちされたこの記を読んで、日本の武道に対して興味が湧こうというものだ。

新渡戸だけではない。すでに一八九五年(明治二八年)には、九一年前後に熊本の(旧制)五高において、校長・嘉納治五郎の下で英語教師として教鞭を執っていた小泉八雲《こいずみやくも》(ラフカディオ・ハーン)が、英語で「柔術」という論文を書き、ボストンの出版社より

『アウト・オブ・ザ・イースト』と題して出版している。

　ここでも柔術の原理や日本精神が説かれ、「いきなり相手の肩を脱臼させ、関節をはずし、腱を切り、骨なんか折っぺしょってしまう」とその威力が記されている。新渡戸も『武士道』の初版本の前書きに「ラフカディオ・ハーンの著書があるのに日本に関する事を英語で書くのは全く気が引ける」という意味のことを書いている。この頃のアメリカ知識階級において、異文化作家ハーンは圧倒的人気を誇っていた。

　つまり西欧における日本および日本人の認知は、まず知識階級に広まった「柔術」に始まり、何よりも「小さい者が大きい者を投げる、解剖学的な技」のイメージが先行していたことがわかる。

　そこに世界が注目した日露戦争の「奇跡的な」勝利が重なった。しかも偶然ではあったが、その情報の発信源であるホワイトハウスにいたのが、稽古着を着た柔道家だった。「小よく大を制す＝格闘技の国」という日本の最初のアイデンティティは、まず「柔術」という言葉が先行し、その後を「柔道家」が実際の技を示しながら世界各地を辿って行った。例えば朝鮮民主主義人民共和国では「柔道協会」ではなく「柔術協会」という言葉が使われている。前田もまた、旅の中で「柔術」という言葉をしばしば使っている。

国際社会で「柔術」が「柔道」に脱皮していく歴史には、そんな経緯があったのだ。

異種格闘技戦

記念すべき「日本」の世界へのデビューにホワイトハウスで立ち会うことになった山下義韶もまた、「小よく大を制す」日本のイメージ作りに一役買っている。

その一つは、まだ彼が日本に居た一九〇一年（明治三四年）頃。講道館が女性の稽古を認めていない時代にあって、妻の筆子《ふでこ》にもその技を教え始めたことにあった。当時山下は、一八九〇年（明治二三年）頃から慶応義塾の柔道師範を務めていた。筆子も家では塾生たちの姉のように振る舞い、稽古帰りに塾生が何人もたむろする山下邸は、梁山泊の様相だったという。

その中の教え子の一人、柴田《しばた》一能《かずより》二段が一九〇一年九月、アメリカ東海岸の名門エール大学に留学することになった。この時すでに山下は三十代も半ばになっていたが、その壮行会で柴田に対し、こう語った。

「自分もできれば海外に出たい。日本の優れた文化を世界に知らしめたい。自分としては、世界に誇るに足る講道館柔道を、アメリカに広めることに尽力したい」

そしてそのために、「こいつにも護身術として柔道を手解《てほど》きしようと思っている」と、横に座る筆子を見ながら言ったという。

外国に柔道を普及させるには、柔道が護身術として有用なことを、婦人にも平易に安心して学べるものであること、また体力的に劣るものでも大きな者を打ち負かす技術があること、等を示したい、というのが山下の考えだった。

その言葉を覚えていた柴田がアメリカに渡った後、ニューヨーク在住の日本人会会長・古屋政次郎を介して、当時鉄道王と言われたグレート・ノーザン鉄道社長ジェームス・J・ヒルの養子と親しくなる機会を得た。ある日ヒル邸で彼を相手に柔道の模範演技を示していると、ヒルから、「息子に武士道的な教育を施したいのだが」と相談を持ちかけられる。「承知しました」と膝を打った柴田は、迷わず、恩師・山下に連絡を取る。

やがて山下が筆子を連れて太平洋を渡ったのが一九〇三年（明治三六年）。最初に荷を解いたニューヨークのヒル邸では、「こんな危険な稽古を自分は承知していない」というヒル夫人の頑強な反対にあい稽古中断を余儀なくされるが、ヒルに紹介されたワシントンD.C.の社交界でその妙技が認められ、アメリカでの最初の地歩を築くことになった。

この時最初に柔道に興味を示したのは、むしろ上流階級の婦人たちであったという。護身になることと、子どもたちへの躾につながる点が評価されたのだ。筆子が稽古着を着てマットに立つと、南北戦争時の英雄リー将軍の孫娘らもその教えについた。山下のアイディアが、ここで当たったことになる。

やがてその噂が彼女たちの口を通して男性陣にも広まり、前述した、知識として「柔術」を熟知したルーズベルトの耳に入る。

山下が初めてホワイトハウスを訪問した日、ルーズベルトは山下にこう質問している。

「あなたのテクニックは大変面白い。だが自分は大統領だ。大事な身体であるから怪我をするのは困る。その点は大丈夫か」

山下はこう答えた。

「決してあなたに怪我をさせるようなことはしません」

こうして一九〇四年三月から、ルーズベルトの柔道の稽古が始まった。

ところがある日、山下を困惑《こんわく》させる出来事が持ち上がった。

柔道の技に惚れ込んだルーズベルトが、突然柔道をアナポリス（海軍兵学校）の正課として採用してはどうかと言い出した。当然、アメリカ海軍の教官たちはこの提案が面白いはずがない。

「わが国にもレスリングやボクシングがある」と言って、それをはねつけようとする。そこでさまざまな議論が巻き起こり、「では実際に戦ってみて決着をつけよう」ということになった。

山下はこの一言で、異種格闘技戦に巻き込まれてしまったのだ。

この時山下はすでに四十歳を超え、講道館では師範格だった。体力的には明らかにピークを過ぎている。相手が柔道着を着て柔道のルールで向かってくるならば話は簡単だが、ボクサーやレスラーが国の威信をかけて挑んでくれば、「ルール」よりも「勝負」が優先する。しかもまちがいなく、相手は精力漲《みなぎ》る若い大男を立ててくるに違いない。苦戦は必至だ。

しかし事の発端は、ルーズベルトの好意に因《よ》っている。これを無視するわけにはいかない。まして戦わずして逃げたとなれば、「世界に誇る」講道館柔道の名折れになる。じっと黙したまま思いを巡らせた山下は、かろうじてルーズベルトにこう言った。

「喜んでレスラーとの立ち合いをお受けする。相手はどんな男でもいいが、ただ一つ、紳士であることをお願いしたい」

「勝負」の中にも「ルール」を持ち込もうとする、山下の必死の気持ちが滲み出ている。

この言葉を受けて海軍が選んだのが、身長二メートル、体重百六十キロ、年齢も山下より十歳ほど若いジョー・グラント海軍大尉だった。一方山下は、身長百六十センチ、六十八キロ。当時の日本人としては平均的な体つきだが、目の前の相手に比べればいかにも小柄だ。

試合場に立ったグラントは、レスリングタイツ一枚。一方の山下は、当然柔道衣スタイル。ここでも、裸体相手との稽古を積んでいない山下には不利な状況だ。試合が始まり二人が組み合うと、山下の頭はグラントの胸までしかなかったという。まさに「小」と「大」の戦いだった。

アメリカの大男が悲鳴を上げて「ヘルプ・ミー」

この試合、山下はまず投げた。相手の太い腕に捕まってしまったら逃れられないとふんで、相手が組もうと向かってくるところを足技で崩し、のしかかろうとする力を利用して巴《ともえ》投げで投げ飛ばし、起き上がろうとするところを背後から喉絞めにいった。

後に前田光世の世界歴戦でも明らかになるが、裸体で向かってくる大きな相手に対して小さな者が勝機を見出そうとすれば、組まずに投げ、機を見て絞めるこの戦い方がセオリーだ。周囲の観客には「逃げている」と思われようが、柔道の技を知らない相手からは「喉絞めは反則」と抗議されようが、投げて隙を見て絞め技、あるいは関節技に持ち込む以外に「小」の付け入る隙はない。

すでにアメリカでの生活が一年を超え、アメリカ人の体力もその戦い方も熟知していた山下は、外見よりも勝負にこだわった。つかみかかろうとするグラントから逃げ回り、突進してくるところを体重を利用して投げ、背後から喉絞めをかけ、相手が立ち上がろうとして一瞬左手が伸びた隙にその関節を腕十字固めに極《き》めた。慣れない関節技を極められたグラントは、顔を真っ赤にしてもがく。もがけばもがくほど、グラントの肘の靭帯は悲鳴をあげて捻じれ、伸びる。

「ヘルプ・ミー」

グラントが右手でマットを叩いた時、勝負はわずか二分で決まった。だがそれだけの組み合いでありながら、山下もまた立ち上がれないほどに体力を消耗していたという。

この勝負の後、アナポリスは柔道を正課として採用し、山下は二年契約、年俸四千ドルで兵学校の教員として迎えられる。当時の為替レートは一ドル＝二円弱。日本の海軍中尉の年俸が約四百円程度だったというから、四千ドル＝八千円弱は途方もない高給だった。

折からの日露戦争勝利の報にも重なって、山下柔道はますますアメリカ中で輝いていくことになった。

人気があった「トウゴウビール」

この例に見るアメリカだけではない。日露戦争は、世界各地で大いに注目を集めた戦争だった。

日本の勝利の後、ヨーロッパ各地で大日本ブームが起きたことはよく知られている。長年ロシアの侵略に苦しめられたフィンランドでは、連合艦隊を率いた東郷平八郎《とうごうへいはちろう》の名を取った「トウゴウビール」が近年まで売られていた。同じような状況にあったトルコ、ポーランド、ハンガリー、あるいは遠く南半球のチリやアルゼンチンでも、まるで自国の手柄のように、日本の勝利が祝われた記録が残っている。

喜んだのは小国ばかりではない。前述のように、別な視点から見ればこの戦いは「人種の戦い」でもあった。白人に抑圧されていたアメリカの黒人社会にとっても、日本の勝利は朗報だった。当時の公民権運動家、メアリー・チャーチ・テリルはこの時、こう語りながら全米を行脚《あんぎゃ》したという。

「日本が白人優位の人種社会を葬《ほうむ》り去った。たとえ日本があの戦争でロシアに負けていたとしても、有色人種は劣っているという白人お気に入りの理論を、ものの見事に打ち負かしたという点で、世界中の有色人種に自信と安心を与えた」

同じ意味のことを、イギリスの海軍研究家、H・W・ウィルソンも述べている。

「なんと偉大な勝利であろう。自分は陸戦においても海戦においても歴史上、このような完全な勝利というものをみたことがない。この海戦は、白人優勢の時代がすでに終わったことについての歴史上の一新起原を記したというべきである。欧亜という相異なった人種のあいだに不平等が存在した時代は去った。将来は、白人種も黄色人種も、同一の基盤に立たざるを得なくなるであろう」（『坂の上の雲』司馬遼太郎）

海外で活躍する柔道家たち

柔道もこの時、規模は小さいながらもヨーロッパでブームとなっている。

イギリスでは、一八九〇年代後半に神戸に滞在したことのある技師、エドワード・ウィリアム・バートン・ライトが帰国の時に柔術を持ち帰り、一八九九年には日本から柔術の使い手を何人か招いて道場を開こうとした記録がある。ロンドンで、当時の柔道史を研究しているリチャード・ボーエン（2005年逝去）によると、この時バートン・ライトは柔術という言葉は使わずに、自分の名前をもじった「バルティス＝BARTITSU」という名前を使っていたという。この言葉は、コナン・ドイルによる「シャーロック・ホームズ」シリーズの中にも登場する。犯人とともに崖《がけ》から落ちたはずのホームズが無事生還してきた時、驚くワトソンに対してホームズはこう語っている。

「ボクには多少なりとも日本のレスリング、バリツ（引用者注　ここではBARITSUと表記されている）の覚えがあるからね」（『シャーロック・ホームズの帰還』）

この時バートン・ライトによって招かれた柔術の使い手の一人、谷幸雄《たにゆきお》がロンドンに留まり、一九〇五年頃に道場を開いた。後、この道場は一九二〇年に渡英した嘉納治五郎によって講道館柔道の道場としての認可を受け、谷は最初から二段を認定されている。

一方ハンガリーでは、高等師範出身の柔道家・佐々木吉三郎《ささききちさぶろう》が招聘《しょうへい》されてブダペストを中心に二年間柔道の指導を行った。その後佐々木はドイツ皇帝に招かれ、二ヶ月にわたって稽古をつけている。

後に大正時代に入っては会田彦一、工藤一三らがドイツに渡り、フランスでは石黒敬七《いしぐろけいしち》がモンパルナスに道場を開くことになる。いずれもその端緒は、この頃の「日本ブーム」

にある。日本＝格闘技の国というアイデンティティは、彼ら柔道家によってヨーロッパにも浸透していった。

巨漢グラント対山下戦

　しかし歴史は一瞬も止まることなく進んでいく。日露戦争の勝利を誰よりも早く祝い、誰よりも身を以て柔の技術を認めていたはずのルーズベルトが、日露戦争の終結を機に、日本に対する認識を少しずつ変え始めた。

　日露戦争での日本の奇跡の力を目の当たりにし、その国力の伸長を敏感に察知したこの政治家は、グラントに対する山下の勝利を見届けると、息子に対してこんな手紙を出している。


「昨日の午後、グラントと組み打ちするために、山下教授に来てもらった。それは大変興味深いことであった。もちろん、柔術とわがレスリングとはずいぶん違っているので両者は簡単には比較できない。

　レスリングはテニスのように誰にもわかりやすいルールを持つスポーツであるのに対し

て、柔術は相手を殺したり、戦えなくするための修練である。試合の結果としては、グラントは自分の背中にとりついた山下をどうすればいいのか知らなかったし、この大勢で山下は完全に優勢であった。一分以内で山下はグラントを背後から絞めようとし、二分以内でグラントの関節を取り、その腕を挫《くじ》くことができることを示し、柔術マンがレスラーをあしらえることがはっきりした。

だがグラントは組み打ちや投げ技で日本人と同等の技量があり、かつ強大な体力があるので、勝負が長引けば日本人に勝ちうるのではないかと思える。

私は柔術を少しやってみて、この国のレスラーやボクサーならば体力が十分に勝《まさ》っているという単純な理由で、日本人を殺すことができると確信する。日本人は身長や体重のわりにはよく訓練され優秀ではあるが、力も強く大きくて素早い相手に立ち向かうには、やはり小さすぎるのではないかと思える」

ここではルーズベルトは、「柔術＝柔道」の側に立って、「レスリング」との試合を仕掛けた者のはずだった。ならば自分の師である山下の勝利を、もっと無条件に喜んでいいはずだ。けれどその細かな観察と自国の戦力との対比は、日露戦争が終わった直後のこの時点で、早くも彼の「棍棒」が日本に向かって用意され始めたことを窺わせる。

それまでの日本は、西欧社会にとってはいわば問題にならない幼児にすぎなかった。だからこそルーズベルトは、その神秘のベールに包まれた格闘技＝柔術・柔道に対して無垢《むく》な興味を抱いていった。だが日露戦争で見せつけられた「奇跡」以降、いつまでもこの国を幼児扱いすることはできないということに彼は気づく。

そうなると「小よく大を制す」ではなく、「大は小に勝るはず」という大国の論理がムックリと頭をもたげてくる。ルーズベルトの中で、アメリカはいかにすれば日本に勝てるかという激しいテーマが生まれて来た。それはルーズベルト一人に留まらず、西欧社会全体の日本に対する認識の変化だった。

だから日露戦争は、日本の国際社会へのデビューであると同時に、早くもそれまでシンパだった国々をライバルに変える転換点でもあったのだ。

もちろん、そうした西欧からの微妙な視線の変化は、ロシア戦の勝利に興奮する日本ではわかるはずもない。揺れ動く外からの日本観とは別に、山下のアメリカでの活躍は当然日本にも伝えられ、嘉納治五郎をはじめとする講道館のメンバーたちを喜ばせるには充分だった。

「今こそ日本男児の力を世界に示すべきだ」「我こそは西欧社会に出て、柔道を広める者なり」「日本民族の力を世界に示す時だ」――、それぞれに志を掲げて、若者たちの夢は一挙に西欧へ、世界へと広がっていった。

ましていかなる大男をも投げ飛ばす技術を会得した若き柔道家たちは、意気盛んだ。語学がどうの、旅券がどうのという心配よりも先に、身体が前に進もうとする。幾多の若者たちが、日本という国全体に漲《みなぎ》るエネルギーを背中に受けて、情熱の赴くままに海を渡り、世界を戦い歩く夢にとりつかれていった。

時あたかも講道館では、それまで力が注がれていた国内での柔術諸派に対抗する勢力拡大の課題が一段落し、その黎明期を支えた第一世代から、明治という世界への扉が開いた時代の息吹を受けて生まれてきた第二世代への転換点にあった。

新しい船を漕ぎ出すのは、古い水夫ではない。新しい感性には、新しい舞台こそが相応しい。その舞台の中央に、後にコンデ・コマと呼ばれることになる前田光世もまた、時代の風を背中に受けながら登場してくるのである。

四章

紐育《ニューヨーク》

一九〇五「異種格闘技」

アメリカ社会での悪戦苦闘

太平洋を船でこぎ出した前田光世の異国での第一歩は、日露戦争最中の一九〇四年（明治三七年）暮れ、サンフランシスコに印されている。

緊張していた。

初めての外国だ。先輩の富田常次郎は韮山の中学校で英語の教師を務めていたほどだから、耳さえ慣れればアメリカ人相手に会話も成り立ったはずだが、前田は英語が苦手だ。イエスとノー、あとはボディランゲージを駆使してコミュニケートするしかない。

しかも自分たちは、日本と講道館を代表して太平洋を渡って来たという自負がある。新調したフロックコートに山高帽、ウイングカラーのシャツにネクタイ。現存する写真には、白い手袋にステッキを持つ姿も残っている。西欧社会に対してガチガチに緊張した様子が、この出で立ちに現れている。身長百六十五センチ余りの前田の正装は、大柄なアメリカ人から見ればさぞ可愛く映ったはずだ。

サンフランシスコでは市長に招待されて歓迎パーティが開かれた。前田たちが会場の玄関に差し掛かると、受付係が前田のフロックコートを脱がせにかかる。勝手がわからない前田は素直にそれに従ったが、コートを脱ぐと下からチョッキが出てきてしまった。

中米を行脚していた33歳頃の前田光世
（国立国会図書館「ブラジル移民の100年」より転載）

通常フロックコートは着衣のままで入室するのだが、すでにこの頃アメリカではフロックコートを着る者は少なく、係は外套《がいとう》と誤解したらしい。コートの下から現れたチョッキを見て係は無礼をしたと早口でまくしたて、慌ててフロックコートを前田の肩に羽織ろうとする。ところが前田は何故係が途中で動作をやめたのか、意味がわからずコートを脱ごうとする。コートを巡って、時ならぬおしくらまんじゅうが始まってしまった。

あるいは別のパーティーで、とある大佐令嬢と隣り合わせてしまった時も冷や汗ものだった。

「貴方のお国は大変景色が好いんでございますね」

「エース」

東北生まれの前田には、英語にも訛《なま》りが残っていた。「YES」と言っているつもりでも「エース」となってしまう。

「富士山があるんでございますね」

「エース」

「どうぞ召し上がってくださいまし」

「エース」

「何もご馳走がなくてお口に合いませんでしょうか」

「エース」

その奇妙な発音だけでなく、何を問い掛けても笑みを浮かべて「ＹＥＳ」と答える前田を理解できず、怪訝《けげん》な表情になった令嬢は、それ以上前田に話し掛けてこなくなってしまったという。会話は途切れてしまったが、むしろそのことでホッとした前田の表情が目に浮かぶ。

後から振り返ると異文化同士の出会いは常にそうした滑稽《こっけい》な「誤解」の連続だ。もちろん当人たちは必死。おそらくこの旅の最初の段階では、富田と前田は食事のマナー一つ、挨拶の仕方一つに神経を張り詰め、日本を背負った柔道家として肩をいからせていたはずだ。

だが日常生活ならばその「力み」は「滑稽」なだけで済むが、戦いの場において、その緊張感は時に致命傷や墓穴につながる。

富田と前田が初めて柔道衣を着てウエストポイント（ニューヨーク州、ハドソン川西岸の都市）の陸軍士官学校のマットに立った日、大きな落とし穴が二人を待ち構えていた。

陸軍士官学校での稽古

時は一九〇五年（明治三八年）一月。

ホワイトハウスでの山下柔道の評判が聞こえていたこともあって、当日は校長代理の大佐が二〜三人の士官とともに前田たちをホテルまで迎えに来た。内田ニューヨーク総領事が案内役となって、富田を右に、前田を左に乗せた馬車が校門をくぐる。玄関には両側に学生が並び、一斉に敬礼してこの一行を出迎えた。

休憩の後、まず講堂で柔道の「形《かた》」を紹介することになった。

投げの形、古式の形、柔剛の形、体操の形。嘉納治五郎が起倒流、および真楊流から学び改良した柔道の形を約百本。富田が投げ、前田が受ける形式で講義が続けられた。

この時講堂に敷かれていたのは、レスリング用のマットだった。講道館の畳で技を百本受けるのと違い、硬いマットでの受身はさすがの前田にもきつかった。最後には息が上がってきた。

ところが二人には、マットより大きな誤算があった。この「形」のやり取りが、意外に学生に受けないのだ。

——柔道の形などといって、あれは軽業師の真似をしたのだ。本気で挑んでいったならば、あんなにうまく投げられるものじゃない。

双方が予定調和的に静かに動く「形」の演技を見た学生の表情には、そんな嫌疑の色が浮かび、何やらヒソヒソと囁《ささや》き合う者もいた。

この会場の空気が富田と前田に伝わらないわけがない。柔道着を着て技を見せればこっちのもの。観衆も沸くだろうと思っていただけに、二人は一層緊張の度合いを強めてしまった。そうなると、自慢の柔道の腕も微妙に鈍ってくる。相手が学生だし初めて柔道を目にするのだから、怪我をさせてはいけないだろう。思い切り投げつけて気絶させてもいけない。かといって、手を抜いて「こんなものか」と思われても柔道の名折れになる。さまざまな思いが前田の頭を駆け巡り、とても柔道に専心することができない状態のままに乱取りに入ってしまった。

最初に出てきたのは、レスリングの学生チャンピオンだった。前田から見たら、小山のような立派な体格をしている。しかも相手も相当に緊張しているらしく、小柄な前田に向かってしゃにむに突進して来た。

前田はとっさに相手の柔道着の両袖を取って腰を深く入れ、それを思い切り弾《はじ》いた。その絶妙なタイミングに大きな身体が見事にひっくり返った。それでもレスラーはすぐに起き上がってくる。今度は右手を相手の脇の下に差し入れて、セオリー通りの腰投げだ。それでも起き上がってくるところを、今度は足払いで倒す。

ここまでは前田のペースだったが、戦いの中でも異文化の「誤解」が出てくる。この後、前田が相手の突進を利用して巴《ともえ》投げを掛け、寝技で押さえ込もうとしたところで相手の反撃にあう。身体を反転させられ、逆に上から押さえ込まれてしまった。

柔道ならば、たとえ相手に上からのしかかられても袈裟《けさ》固《がた》めや体固めで四肢を押さえ込まれなければそこから反撃できる。前田が相手の下から両襟を取って締め落とそうとした時に、この勝負を見ていた観衆がドッと沸き立った。

ここで前田は「喉を締め落とすのが気に入らないのかな」と一瞬弱気を出して、直ぐさま立ち上がって投げ技に移る。これが見事に決まって、相手が起き上がろうとするところを今度は腕十字固め。相手はたまらずに「ギブアップ」と声を上げた。

ところが後から聞くと、相手は前田が下になった時にその背がマットに着いたから、レスリングのルールですでに勝負あったと思ったという。観衆が沸いたのも、前田の負けと判断したからだった。

勝負はギブアップで決まったとは言うものの、これでは観衆は納得しない。居並ぶ相手が陸軍士官学校のエリート学生だったからよかったが、もし街場の道場だったならば暴動になりかねない雰囲気だ。

先輩富田の思わぬ苦戦

この雰囲気に飲まれて、続いてマットに登場してきた富田が一層緊張してしまう。講道館三羽烏と言われる後輩の前田が苦戦した。まだ柔道の素晴らしさを学生たちが納得していない。

――自分が何とかしなければ。

さらに肩に力が入ってしまった。

ところが間の悪いことに、アメリカ側は前田の相手よりも手強そうなレスラーを富田にぶつけてきた。

無理もない。旅の間中、前田は常に富田をたてて行動していた。日本人からすれば富田が先輩なのだから当たり前だが、実力の国アメリカから見ると、それは「富田の方が前田より強いからだ」という理解となる。

しかも柔道は「小よく大を制す」「婦人でも大男を投げ飛ばす」不思議な技だという先

入観がある。年老いているとはいえ、富田こそその神髄を極めた者に違いない。そう考えて、陸軍士官学校で最強の男が挑戦者に選ばれた。

ところが実際は、富田はすでに「第一線」の人ではない。講道館にあっては「文治派」と呼ばれ、嘉納の経営を助ける役目にあった。年齢も四十代に入り、最盛期は過ぎている。さらにここまでの成り行きから、その両肩にズッシリと「日本」と「講道館柔道」を背負ってしまったところに最大の弱点があった。試合が渡米直後だったこともあって、ルーズベルトの前で戦った山下義韶のように、アメリカ人の戦い方、体力、レスリングの特色を観察できていない。

さまざまな理由が重なって、富田は力みをほぐせず、周到な準備もなくマットに上がってしまった。

そして勝負が始まる。

よもやここで相手の突進から逃げるわけにはいかない。一瞬の躊躇《ちゅうちょ》が富田の動きを鈍らせた。組み合った瞬間に相手の太い腕がガッチリと富田の上半身を捕まえ、そのままギリギリと締め上げる。相撲の鯖折りの要領で、富田は一瞬にして大男の餌食《えじき》になり、マットに倒れ込んでしまった。

大男と相対する時は、まず動いて相手の勢いを利用して投げてから関節を極《き》める、あるいは喉を締める。それが山下が実践した「小」のセオリーだった。富田はそのセオリーを体現する間もなく、太い腕に捕まってしまった。柔道の技を繰り出す余裕もなく、万力のような力で締め上げられた背骨は悲鳴をあげ、富田の意識は混濁してきた。

「まいった」

最後の力を振り絞って富田がギブアップを呟いた瞬間に、単に勝利が逃げていっただけではない。富田と前田の旅の目算は脆《もろ》くも崩れ、当初の思惑は大きく狂ってしまった。

大喜びする学生たち。一敗地にまみれ茫然とする富田。そして前田。「国の恥だ」と、居並ぶ日本人関係者はは き捨てたという。

勝負の「実」を取る

ここからの詳細は講道館の資料には残されていない。富田の地元、講道館韮山分教場の百周年を記念して発行された『講道館柔道側面史』を見ても、「開拓者精神に富む常次郎は、一九〇四年（明治三七年）から七年間、アメリカ西海岸シアトルに滞在して日本柔道の普及と国際化のため私欲を離れ、献身的に活動したことなど特筆大書すべきことで……」と記されているのみだ。

現在の常識から見れば、敵地での一敗などたいしたことではない。それよりも、アメリカで見聞を広めた富田は七年後に帰国し、大正の初期に、赤坂溜池に建坪三百坪という大きな総合スポーツジムを開くに至っている。柔道はもとより、アメリカ仕込みのボクシング、重量あげ、射撃等ができる、当時としては本格的なものだったという（関東大震災で焼失）。見事に国際交流の役割を果たしている。

勝負の面から見ても、富田は滞米生活の後半になると、異種格闘技戦のセオリーを身につけている。後年、西海岸で道場を開いていた頃、百八十五センチもあるボクサーが富田に挑戦してきたことがあった。

この時富田は、見事に相手を自分のペースに引き込んでいる。試合開始の鐘が鳴ると、富田はマットにゴロリと寝ころびニコニコしながら相手を挑発した。

「立て、規則違反だ」

とボクサーは怒る。富田は笑って、

「いや、柔道は寝ても反則ではない」

と取り合わない。しかも相手が頭を狙おうとすると、寝たままで背中を中心にしてクルクル回り、決して相手を頭の方に回り込ませない。焦《じ》れた相手が富田の足を捕まえて、右手で頭にパンチを繰り出して来た瞬間、「えいっ」という気合いもろとも富田の巴投げが見事に決まって勝利を収めた。

何やら一九七六年に行われた異種格闘技戦「アントニオ猪木対モハメド・アリ」を思わせる光景だが、形にこだわらずにここまで相手を自分のペースに持ち込めれば、勝負の「実」を取ることができる。柔道とは異なる格闘技を相手にしても、その本質をつかんで柔道のルールに引きずり込むことができれば、「小」にも勝機が生まれる。滞米生活が長くなり経験を積むことで、富田も「小」の戦い方のセオリーをつかめたのだ。

だが訪米直後のウエストポイントのマットにおいて、富田にはここまで大胆な戦法を選ぶことができなかった。そこまでするには、あまりに異種格闘技に対する経験がなさすぎた。日本と講道館を背負って勝負の「実」より「名」を気にした結果、妙技でなければならないはずの柔道が、「大」の力に脆くも捩じ伏せられてしまった。

この日、もはや富田と前田の帰路に馬車は使われず、内田総領事の案内の約束も反故《ほご》にされたことは言うまでもない。山下のように「プロフェッサー」と呼ばれることもなかったし、何より柔道講師としての仕事や収入にもありつくこともできなかった。

仕方なく二人は野《や》に下る。富田はサンフランシスコ、シアトルといった西海岸へ。前田は一人、ニューヨークからロンドンへ。二人が別々の行動を取ったところを見ても、この時の深い心の痛手が窺える。

プリンストン大学の挑戦者

それでも前田に幸いしたのは、自身は勝負に負けたわけではないという事実だった。富田は「ギブアップ」してしまったのだから、遠い西海岸にでも去らなければその後の活動を続けることができなかったが、前田は在留邦人も多いニューヨークで活動を始めることができた。

ウエストポイントの出来事からほどない二月、前田はニューヨーク州に隣接するニュージャージー州の名門プリンストン大学に出かけている。そこでも士官学校と同じように、講堂の舞台で最初は柔道の形を見せて、続いて乱取りということになった。

「誰でもどうぞ」

前田の呼びかけに対して、三人の希望者が現れた。一人は同校の体操教師。一人はフットボールの選手。もう一人はレスリングのチャンピオン。三人とも、堂々たる体格だ。最初に前田に対峙したのは、フットボールの選手だった。見たところ、身長は百八十センチ、体重は百キロ近い巨漢だ。当時のフットボールは、ヘルメットは被ってもプロテクターなどは今のように立派ではなかったから、むしろ今の選手よりも肉体は鍛えられていたと考えられる。

しかも一番問題なのは、前田が柔道着を着ているのに対して、この相手は上半身裸体で登場してきたことだ。これは前田にとって、初めての経験だった。裸体が相手では、投げ技、絞め技を使おうにもつかみ所がない。しかも相手を押さえ込むテクニックに関しては、相手はレスリングで相当鍛えられている。

さらに、前田には異文化の壁もあった。ルールの違いや戦い方を交渉しようと思ったが、いかんせん英語がうまく通じない。この学校には服部と横山という名の日本人留学生がいて、前田の世話をしてくれたという記録があるが、こと柔道に関しては彼らは素人だから、前田の意図がうまく伝わらなかった。

ウエストポイントで失敗してしまった前田は、もはや政府や軍の正式な招待師範ではない。最初の戦いでは柔道着も用意されていたが、この時は相手に柔道着が用意されているはずもなかった。

仕方なくそのまま勝負になる。

組み合ってみると、さらに困ったことがあった。大きな相手が何の技も仕掛けてこないのだ。ただ前田の柔道着の両袖をつかむばかりで腰が引けてしまっているから、前田の腰技も足技も使いようがない。薄田斬雲の『前田光世の世界制覇』によれば、「足技を用いようとしても、彼の足は遥か向こう横丁にいる」「腰技も覚束《おぼつか》ない。背負投げ、背負落とし、巻き込みなどの大技は無論駄目だ」。

ここで前田の脳裏をかすめたのは、「このまま引き分けたのでは物笑いの種だ、もう後がない」という強い危機感だった。ウエストポイントで失敗し、ここプリンストン大学でも再びアメリカ人を喜ばせることになったら、柔道は役にたたない格闘技というイメージが定着してしまう。今度こそ命取りだ。

――虎穴に入らずんば虎子を得ず
そう思った前田はこの時、思い切って相手の懐に飛び込んで、あろうことか相手を肩車しようとしている。焦りが滲み出た強引な技だ。しかしこの巨漢は動かない。逆に相手に背後に回られて抱き込まれてしまった。富田はこの力技の前に万事休した。前田もこれまでか――。

ところが前田は慌てなかった。相手の腕をつかみ、首を縮めて頸動脈を極《き》められないようにして反撃の機会を待つ。やがて相手の力が緩んだところですかさず首を抜き、その惰力を使って引込み返しとも隅返《すみがえ》しともつかない技で反撃に出た。これで相手が横転。再び立ち上がってきたところで相手の腰に取りついた。ここで相手は足をマットの外に出して逃げようとしたが、前田は自らマットの外側に回って、そちらから裏投げで相手を投げつけた。マットの外の板の間に身体を投げつけられた相手は、これでたまらずギブアップしたという。

この間約十分。裸体を相手にしたケースの経験になったとはいえ、前田にとっては予想外に手こずった勝負になった。

続いて体操教師が登場してくる。今度の男は身長は前田より高いもののそれほど大柄ではなく、機敏《きびん》に動き回ることがかえって幸いして、前田は相手の力を利用して投げ技を発揮できた。

相手が飛び掛かって来るところを、左腕で抱えながらまず横捨身《よこすてみ》で投げ飛ばす。それでも起き上がってくるところを、今度は袈裟固め。さらに一度相手を手放してから、相手の後ろに回って裏投げ。そのまま折り重なって腕の逆を取って「ギブアップ」。初めて前田らしい柔道の連続技が披露できた。これを見た三人目の挑戦者は「時間がない」という理由で、前田との勝負を避けて去って行った。

これでやっと柔道の強さを実証できた。前田の肩の力もようやく抜けた。しかも数日後、同校から約二十名の入門希望者があった。前田には、嬉しい収入の道も開けたことになる。さっそく週に二回、同校に出かけて稽古をつけることになった。

他流試合禁止の掟をあえて破る

前田はこの頃、ニューヨークのとあるスポーツジムのオーナーと共同で柔道の道場を開いている。それもまた、収入への道だった。

ところが最初は物珍しさでアメリカ人が何人も入門してきたものの、彼らは少しでも強く投げられるとそれだけで道場に顔を見せなくなってしまう。講道館に伝わる地道な基本稽古に飽きてしまう者も多かった。しかも今のようにテレビや雑誌が発達しているわけではないから、前田の強さを目の当たりにする者が少なく、伝聞だけではなかなか柔道の真価を信じる者が増えていかない。

前田の懐は寂しくなっていくばかりだった。これでは先細りだと悩んでいた前田に、「大々的な広告を出して、有名なレスラーやボクサーに挑戦して、公の勝負（＝興行）をしたらどうか」と提案する者があった。

前述した富田とボクサーのケースもそうだが、アメリカ人の気質は、伝統や格式よりも実証を旨とする。柔道の強さを証明するためには、稽古で形を見せるよりも実際に挑戦を受けて、どんな試合でもいいからその勝負に勝つところを見せなければならない。

ところが柔道家には、その証明をしにくい事情があった。

講道館には「明治一五年六月五日」と日付が書き込まれた、富田常次郎（この時は山田姓）らごく初期の入門者の入門帳が残っている。この時入門者は、嘉納が差し出す「誓文」にも署名している。「修行をやめるな」「道場の面目を汚すな」といった条文に並んで、その第三条にはこう書かれている。

「第三条　御許可なくして秘事を他言し、或いは他見為しまじき候事」

この誓文に見るように、嘉納は講道館黎明期の頃から他流試合を一切禁止していた。「他言他見してはいけない」と言われている「秘事」を使って、他流派と勝負していいはずがない。公式に他流試合が行われたのは、一八八六年（明治一九年）、当時柔術の師範が指導に当たっていた警視庁に招待されて対抗試合を行った時が初めてだった。

他流試合とはいえ、柔術との対戦は本家争いのようなものだ。しかもこの勝負は時の警視総監、三島通庸《みしまみちつね》がその仲立ちをした「公式試合」でもあった。各地で農民騒動が頻発し、板垣退助《いたがきたいすけ》ら自由党員が政治改革を訴えて騒然としていた当時の世情にあって、三島は警官の体力を強化することに尽力していた。その一環としての柔術の稽古であり、当時日の出の勢いだった講道館に対しても、「どの程度やるのか力を試してみよう」という気持ちが働いたのだろう。

嘉納に厳しく他流試合を禁止されていた西郷四郎ら講道館の猛者《もさ》たちは、この時とばかり発憤して柔術側を圧倒。前述したように、「俺は講道館の西郷だ」という台詞《せりふ》が東京市中に流行《はや》ったのはこの時のことだ。

だが師範がいない異国の地で、しかも柔《やわら》とはまるで関係ないレスラーやボクサーと対戦することは、入門時に誓った誓文に背くことになる。明治二〇年代になると、講道館は入門者に対して「血判」を求めている。前田は講道館の三羽烏と言われた男だ。入門者にそれだけ強い誓いを強要している以上、そうそう簡単に先輩が規律に背くわけにはいかないと思うのが普通だ。

ところが不思議なことに、この時の前田はこの提案にそれほど悩んだ跡が見られない。まずジムのオーナーに相談し、彼が乗り気になってマネージャーをかって出ると、以降ドップリと異種格闘技との「勝負生活」に入って行く。富田も前述したようにボクサーと戦ったりしているが、それはかなり時代が下ってから、後輩の手によって記されたものだ。前田が不思議なのは、自らその勝負の様子を日本に残る薄田や押川らに書き送って公表していることだ。異国で奮闘する己のことを、むしろ日本中に広めてほしいとも取れるような行動だ。

もちろん、その心が揺れていなかったわけではない。後年、アマゾンやメキシコで出会った日本人たちに、「僕はどうも日本では評判が悪いようだ」と自嘲《じちょうてき》的に語ったり、「講道館を破門されたらしい」と呟いていたという記録もある。その心の震えが第三者の手によって日本に伝わると、尾鰭《おひれ》がついて「前田は講道館を破門された」という説に膨らんでしまう。

だが、講道館に残る前田の「段位認定証」には、初段から七段まで、途切れることなく日付が書き込まれている。彼の破門説は根拠のない風評でしかない。

それにしてもニューヨークでの前田は、よほど生活費に困っていたのか、あるいは当時二十代後半の若気の至りで、この「勝負生活」を楽しんでしまったのか。妻と離縁し、「国士」としての夢を抱いて辿り着いた異国の地で、柔道をしっかりと根づかせるまでは生半可な成果では帰れないという気持ちが、彼をして異種格闘技戦に踏み込ませたと理解する他ない。

その最初の戦いは一九〇五年（明治三八年）七月末。相手はブルックリンのブッチャーボーイというレスラーだったと記録されている。

巨人ブッチャーボーイとの対決

この戦い、注目すべきは試合前に決められたルールだった。

一　双方共に日本柔道着を着用する。

二　逆、絞め、投げの三手にて闘う。但《ただ》し、投げは両方の肩が畳につくまで。押さえ込みも同様。逆と絞めは相手が降参の合図をするまで。

ブッチャーボーイは、身長六尺（約百八十センチ）、体重三十貫（約百十二キロ）。『前田光世の世界制覇』によると「隆々たる筋骨、如何にも強そうな面構え。それが柔道着をつけた姿はまた妙に物凄い」。

だが前田にしてみれば、これまでの経験から、最大の関心事は相手の体格よりも勝負の「実」を左右する「ルール」にあった。相手が裸体でこられたら、たとえそれが小兵であろうとも柔道の技を仕掛けるのは難しい。喉への絞め技を禁止されたら攻め手を欠くし、背中をマットにつけただけで負けと見なされたら、寝技が使えなくなってしまう。

何よりも、互いが「異文化の格闘技」であることを前提に、試合前に勝負観の違いを明確にしておくことが必要だった。何が違って何が同一なのか。何を基準として「勝負」を決するのか。その認識を同じものにしておかないと、勝負の後味が悪くなる。以後、アメリカ、ヨーロッパ、中南米で展開される異種格闘技戦を前にして、前田はすでにそのことに気づいていた。

つまり前田にとって勝負は、ルールが定まった段階でほぼ八割方決まっていたことになる。着衣で、降参するまでというルールならば、前田には自信があった。身長が二十センチ以上異なるブッチャーボーイに対して、前田は正攻法で試合に臨んでいる。

「こんな小さなジャップ、ひと握りにしてやる」

試合が始まると、ブッチャーボーイは大きな手を伸ばしてしゃにむに突進してきた。その威圧感溢れた姿は迫力充分だ。ところが柔道家にとってみれば、こうして突進してくる者ほど戦いやすい相手はいない。その勢いを利用して、身体を開いて両袖をつかんで体落とし、起き上がってくるところを巴投げ、さらに嘉納治五郎の得意技、浮腰《うきごし》と、面白いように技が決まっていく。

だが柔道ならばこれだけ投げつければ「一本」となって勝利が記録されるが、ここでは「降参するまで」がルールだ。ただ投げているばかりでは、相手もスタミナを消耗するとはいうものの、小柄な前田もスタミナをなくしてしまう。しかも三度投げつけられたブッチャーボーイは、さすがに投げ技を警戒して突進してこなくなった。

そこで前田は考えた。

——読めた、相手は足を掬《すく》おうとしている！

あらかじめタックルを警戒しているところへ、案の定ブッチャーボーイが突進してきた。これをかわして相手の背後に回り、ブッチャーボーイが前田の首を捕まえにくるところを腰を入れ換えて投げつける。これが見事に決まった。

「勝負あり」

ブッチャーボーイの両肩がマットにのめり込んで、前田の勝負が告げられた。その間八分十秒。試合時間としては決して短くはないが、内容は前田の圧勝だ。相手の動きを読みきれたことも含めて、前田は異種格闘技との戦い方への自信をますます深めていった。

「ギブ・アップ」

ここで十分休んで第二試合となる。

さすがに今度はブッチャーボーイも強引な突進はしてこない。マットに片膝をついて、前田の足を狙ってくる。前田も用心深く構えていたが、睨み合うばかりでは試合が動かない。前田は隙を見て相手の両袖をつかみ、その動きを封じる作戦に出た。

着衣の試合の場合、両袖をしっかりと握ることが前田の戦い方の基本姿勢だった。こうすれば、相手の動きを封じ込める。そのまま腰を入れればさまざまな腰技で相手を投げつけられる。投げた後も両袖を離さず、両腕を左右に伸ばせば、相手は身動きが取れなくなる。その状態で肘や足の関節技に入れれば、それで勝負はこちらにものだ。

ブッチャーボーイに対しても、このセオリーが取られた。

釣り込み腰で相手を投げつけ、両袖を離さずに崩れ袈裟固め。この時前田の右手がすべって袖を手放したために相手に反転されたが、慌てずに相手に跨《また》がって、立ち上がりながら腕の逆を取った。腕十字固めだ。

この技に極められたら、力任せに腕を引き抜こうとしてはならない。腕を中心にして身体を後転すれば、関節技の苦痛から逃れることができる。ところがそのためには、相当な身体の柔軟性が要求される。ブッチャーボーイはあまりの激痛にやみくもに腕を引き抜こうとしてしまった。

「ボキッ」

関節が鈍い音を立てて、みるみるその表情から血の気が引いてきた。腕を抱え込んだブッチャーボーイはポロポロ涙をこぼしながら「ギブアップ」。

後で調べてみると、骨には異常はなかったものの、筋が伸びきっていた。靭帯が切れたか、あるいはひどい損傷を負ったことになる。現在の医学をもってしても、靭帯損傷は自然治癒は有り得ない。手術が必要で全治までに三〜六ヶ月。ひどい場合は他の靭帯や筋肉を移植しなければ完治しない。

二試合を通じて、「小＝柔道」の技が「大＝レスリング」を圧倒した。

ロッカールームに押し寄せた歓喜の日本人観客

人間の身体は、両手、両足、腰、首、背中等、大小二百六十余りの関節からなっている。柔術の時代からさまざまに研究された関節技は、そのどの部分を取ってもいくつかのバリエーションで「極め技」が研究されている。柔術だけではなく、ローマ時代のレスリングの歴史をくむイギリスの「キャッチ・アズ・キャッチ・キャン」式レスリングや、後に日本の柔道の要素も加味して誕生したロシアの「サンボ」にも、同じような技がある。

その意味で、格闘技は国際語だ。

だからこそ強い男（あるいは女）はどこの世界でも英雄だし、若者たちの憧れとなる。

前田光世は、このブッチャーボーイとの戦いで相手の戦意を挫くまでに叩きのめしたことで、初めてアメリカで英雄となった。しかも大学や道場といった特殊な人しか入れない場所ではなく、大衆の面前でその剛勇ぶりを示したことが大きかった。

勝負の後、外国人客は何やらブツブツ文句を言いながら会場を後にしたが、集まっていた日本人たちは大喜びで前田のロッカールームに押し寄せ、ひとしきり前田を囲んで歓声をあげ続けたという。

当時、ニューヨークにはすでに日本人村があった。『前田光世の世界制覇』によると、それはロングアイランドの海岸線にあったと記録されている。

実はこの頃、細菌の研究でアメリカに渡っていた野口英世《のぐちひでよ》もまた、ニューヨークに設立されたばかりのロックフェラー医学研究所に所属していた。この頃前田はニューヨークの日本公使館に出かけ、幼名の「栄世」を「光世」に改名している。マンハッタンのどこかで、前田と野口は接触する機会があったのではないか。だとすれば、野口は一八七六年(明治九年)生まれ、前田は一八七八年生まれ。二歳違いの東北人で、同じ「HIDEYO」という発音の名を持つ二人は、日本人村(=移民社会)の有名人であったとしても不思議はない。ファーストネームで呼び合うことが習慣のアメリカ社会にあって、二人の「HIDEYO」は紛らわしかったから改名したということも考えられる。

戸籍によれば、前田の改名の届出が受理されたのは一九〇五年七月。ちょうどブッチャーボーイ戦を端緒とする公開異種格闘技戦が始まった頃でもある。

同じころ、前田は公開勝負=興行におけるリングネームとして、「大和=YAMATO」の名前を使い出している。このことは、前田が自ら日本人の魂=大和魂を背負って戦うことを選び、異国の地で出会った同胞たち(=移民)を勇気づけることを意識しはじめたことを意味している。あるいは講道館に対しては、名前を変えることで柔道人としての「けじめ」をつけて、公開勝負=興行に踏み出したともとれる。

いずれにしても、新しい名前を得た前田は欧米社会の水にも馴染み、いよいよ気の向くままの放浪生活に入っていく。前田の舞台は、世界へと広がったのだ。

世界を転戦、連戦連勝

ブッチャーボーイとの戦いに勝利した前田は、以降、自信に溢れた戦いを続け、連戦連勝を記録していく。『前田光世の世界制覇』に記録が残っている戦いだけでも、

・この後、アメリカで三戦（アトランタ等）。
・一九〇七年（明治四〇年）二月にはイギリスに渡り十三戦。
・一九〇八年にはベルギーで一戦。
・同年一二月にキューバに渡り十一戦。
・一九〇九年七月にメキシコに渡り四戦。
・一九一〇年七月、再びキューバに戻って四戦。

この他に、柔道の講義の途中で挑戦してきた者や、記録されなかった相手を含めると、無数の戦いが行われている。前述したように、一九〇八年から一九〇九年にかけての最初のキューバ訪問だけで、島内で約四百試合を行ったというのだから、ここまでの全行程での戦いを集計すれば、やはり千試合近くになるはずだ。

一九一〇年のキューバ訪問の後も、前田は中南米からブラジル・サントス港に渡り、そこから北上するかたちでアマゾンのベレンまで歩いている。その間も同じように戦いは続けられ、ベレンに入っても、そこを通過するブラジル固有のルッタ・リブレ（日本のプロレスのような格闘技）の選手と戦い、千六百キロ離れたマナウスでも興行を行っている。さらに一九一六年と二一年にはアマゾンを離れて再びイギリス、ニューヨーク、キューバ等を歩きさまざまな戦いを展開しているから、日本に伝わる「生涯二千試合」という言い伝えはあながち大袈裟ではない。

しかし「無敗」だったかといえば、そうではない。ロンドンで出場したキャッチ・アズ・キャッチ・キャン式のレスリング世界大会では、中量級と重量級に出場して、準決勝と決勝での敗戦が記録されている。もちろんこの時は、前田も柔道着を脱ぎ捨てレスリングタイツ・スタイルだった。ルールもレスリングのもの。しかも本来ならば前田の体重は中量級であり、重量級に出場したのはエントリーした講道館出身の寮友、当時「ダイブツ」というリングネームで活躍していた大野秋太郎が欠場したためだった。敗れながらも、前田の戦いは、ヨーロッパの格闘技ファンを喜ばせていたことが資料に残っている。

リングネームはYAMATO MAIDA

　ロンドンにあるレスター図書館には、一九世紀後半からの『TIME』紙が、マイクロフィルムで残っている。一九〇八年の記事によれば、キャッチ・アズ・キャッチ・キャン式のレスリング世界大会は、ロンドンのナショナル・スポーティング・クラブの主催で行われ、当時レスター・スクエアに聳《そび》えていた三千五百名を収容するバレエ劇場「アルハンブラ」を会場として、一月二七日から二月三日まで行われた。

「YAMATO　MAIDA」はその記事の中で、中量級と重量級の二つの階級で活躍を見せている。

「一月二九日。好勝負としては、大野選手に代わって出場したヤマト（ジャパン）とリップス（パリ）の試合があげられる。リップスは体重も重く、力ははるかに強いが、ヤマトはそれ以上に賢く素早い動きを見せる。大きなダメージを与えることはできないが常に相手の後ろに回り、約半時間後、ポイントで勝利を挙げた」

「一月三〇日。最も注目された試合の一つは、中量級のヘンリー・アイルリンガー（オーストリア）とヤマトの戦いだった。驚いたことに、オーストリア人が勝利を収めた」

ヘンリーとの戦いについて、『TIME』紙にはこれしか書かれていないが、日本に残る『前田光世の世界制覇』には勝負の詳細が記されている。

前田は序盤から、背負い投げ、腰投げ、横落とし等の投げ技でヘンリーを攻めた。下になったヘンリーは、強力なブリッジで前田の攻撃を凌《しの》ぐ。この時ヘンリーの頭がマットの外に出た。ルールによれば身体の一部がマットから出た場合には、レフェリーがストップをかけてそのままの体勢でマット中央に戻されなければならない。ところが両者の気迫に気圧されたか審判がなかなか「待て」をかけない。ヘンリーはブリッジの体勢のままで「外だ、外だ」と叫ぶ。この言葉に一瞬躊躇した前田の力が緩んだ。そのわずかの心理的な隙をとらえて、ヘンリーが九死に一生の死にもの狂いの力を発揮し、遂に身体を回転してしまった。

この後ヘンリーは、禁じ手となっているフル・ネルソンという技（両腕を後方に締め上げる）を巧妙に駆使して前田を攻め立ててくる。これで形勢は逆転し、前田がこの技から逃れようと身体を回転させた時に、「自分から畳に背をつけて回転」してしまい、勝負は呆気《あっけ》なく決着してしまった。

大会最終日となった二月三日。前田は今度は重量級の決勝に進出し、ジャック・エッセ

ヨーロッパを転戦中の試合と思われる写真（著者提供）

ン（スコットランド）と対戦し、第一ラウンドを判定で、第二ラウンドは七分三十秒、フォールによって敗れている。だがエッセンは体重百三十五キロを超える巨漢であり、『TIME』紙もその体重差を慮《おもんぱか》って、前田の戦いを「素晴らしい技術で善戦した」と称えている。

こうした記録に見るように、世界各地に残った前田の歴戦の記録と、日本で薄田の手によって記された伝承本との間には、事実関係にほぼ間違いはない。そうした事実から見ても、前田が柔道家本来の着衣での試合では、その伝説通り「無敗」だったと考えていい。勝負が公開で行われている以上、仮に前田が敗れれば現地にその記録は残るはずだし、同時にそのニュースは日本に、あるいは後世に、大きく伝えられ残されているはずだ。

ロシアの強豪に闘わずして勝つ

ロンドン時代には、さらに注目すべきエピソードが残っている。

アルハンブラ劇場でのレスリング大会が終わった頃、オックスフォード街の他の劇場で、ロシアのレスラー、ハッケン・スミスが一週間の興行を行っていた。当時スミスはキャッチ・アズ・キャッチ・キャン式のレスラーとしては、ヨーロッパで並ぶ者なしと言われる強豪だった。前田がこの興行に関心を持っていると、新聞のスポーツ欄にハッケン・スミスの署名で「今や一時的に世間を騒がした日本柔術も音沙汰《おとさた》なく、わがレスリングに一掃されてしまった」という記事が載った。誇り高き前田がこれを見逃すわけがない。新聞をポケットに突っ込んで早速劇場に出かけて行った。

「ミスター・ハッケン・スミスはいるか。君がこんなことを論ずるのはけしからんことである。長々と論じても柔道とレスリングの優劣はきめられないけれども、実地にやってみればすぐにわかることである。ここの控室にはマットが敷いてあるから、どうだ、一つ勝負をしよう」

そう言って、大男のスミスを下から睨み上げた。

するとロシアのライオンと呼ばれたスミスが縮み上がって、

「いやそういう申し込みをされても困る。あの記事は私が言ったことではない。記者が勝手につけ加えたものだ」

と言って、わざわざ新聞記者を呼んで弁明につとめた。どんな条件でもいいと前田が言っても、スミスは決して勝負に応じようとしなかった。

「君も知る通り、私はレスラーだ。職業選手だ。流儀が違うといっても柔道と勝負して負けたら自分の職業に関係する。ハッケン・スミスが負けたと新聞に書かれたら、それでおしまいだ。どうか察してくれ」

それが彼の言い分だった。

前田は戦わずして、当時のプロレスラーに勝ったことになる。観客に見えない所でのミスの「逃げ腰」は、いかにもショーアップされたプロレスらしい。前田の真剣勝負の「凄味」を物語るエピソードだ。

もっともハッケン・スミスについては、その存在自体が眉唾物《まゆつばもの》だったことを示すエピソードも残っている。前田との出会いがあった直後、一九〇八年四月三日、スミス（アメリカでの呼び名はハッケン・シュミット）はアメリカのシカゴで、現在のプロレス史の端緒になると言われる試合をフランク・ゴッチというレスラーと行っている。この時も、試合開始二時間後に足首の怪我を理由にスミスは試合を中断。翌年秋に再びシカゴのホワイトソックス球場に四万人の観衆を集めて再戦が行われたが、ここでも開始数分でスミスが再び足首の痛みを訴え試合は中止。この二試合によって、アメリカでのプロレス人気は一気に下降し、一九二〇年代までその人気は回復しなかった。どこまでも罪作りな「なりすまし王者」は、いつの時代にもいたわけだ。

フランスのヘラクレスとの対戦

　このロンドンの例をはじめとして、世界各地にはさまざまなかたちで前田光世の異種格闘技戦の記録が残っている。

　ハバナのホセ・マルティ図書館にも、前田の貴重な戦いの記録が眠っていた。異文化の中で前田がどう戦い、どんな評価を得ていたかがよくわかる貴重な資料だ。

　時は一九二一年（大正一〇年）。第一次世界大戦終結に伴う米、仏、伊、英、日等が参加したワシントン会議が世界のニュースになっていた頃。一一月一五日に発行された『DIARIO　DE LA　MARINA＝マリーナ新聞』は、スポーツ文化面にこんな記事を載せている。

「フランスの素晴らしい格闘家フォルニエールと、柔術の有名なチャンピオン、コンデ・コマが、明日水曜日にパイレ劇場で戦います。異なった分野の格闘家が対決するという、大変面白い催しです。（中略）

フォルニエール曰く、『日本の虎の策略も投げ技も、私の攻守における驚異的な力をもってすれば何も怖くない』。

この格闘家の弁に対して、黄色い巨人のコンデ・コマはこう述べています。

『理論を裏づける経験と、理論に関する真の知識と、芸術的な身のこなしをもって、柔術の攻守技によってヘラクレスを劇的に破ってみせます』

この言葉は、驚異的な力を持った格闘家フォルニエールに対して、柔術の勝利は間違いないと言ったも同然です。技を持つ巨人か、または恐ろしい力を持つ格闘家か、どちらに勝利の女神は微笑むのでしょうか」


これは、バガ・ゴルダ末期に三度目のキューバ来島をはたした前田光世の公開勝負を伝える記事だ。紙面では、フォルニエールの写真も紹介されている。レスラー・タイツ姿になり肩に大きな石の玉を担いだそのポーズには、確かに「ヘラクレス」と呼ばれるに相応《ふさわ》しい力強さが漲っている。だが、広い額や下腹の弛みからは、すでに下り坂になったレスラーという感は否めない。髪をオールバックに撫《な》でつけ立派な口髭《くちひげ》をたくわえたスーツ姿の写真は、あたかも中年の実業家か政治家といった風情だ。

彼のプロフィールを辿ると、一九〇五年（明治三八年）のブエノスアイレスのレスリング大会で三位となり、一九〇八年に英国ミドル級の公式チャンピオンとなったことが記録されている。だがその時期を全盛期とすれば、十年以上たったこの頃はすでに現役を退き、サーカス興行とともに各地を転戦して、「出演料」なり「賭け金」なりを稼ぐショー・マンになっていたとみることができる。

たまたま興行の地キューバに降り立った時、柔術のチャンピオンを名乗る男がいた。見れば身長百六十五センチそこそこの東洋人ではないか。どんな技があろうとひと思いにひねり潰してやる。いい儲け話だ——、そんな銚子で前田に挑戦してきたのだろう。

残念ながら、この新聞には前田の写真は掲載されていない。年代からすると、前田は四十三歳の誕生日直前。それ以前の約五年間はブラジルのベレンに留まり、警察や海軍兵学校でブラジル人を相手に柔術を教え、時にはアマゾン川上流の街マナウスに出かけて公開勝負を行っていた。

このキューバ遠征を最後に、彼は再びベレンの街に戻り、以後二度とその街から出ようとはしなかった。ベレン市内の消防署の片隅に持っていた稽古場へも、この頃から徐々に足が遠のき、後述する、その晩年の全エネルギーを賭けた「アマゾン開拓」の目標に進路を切り換え始める転換期だった。四十三歳という年齢を考えると、前田にとっても、この時の戦いは現役最期のものと言っていい。

一九〇八年の最初のキューバ来島の折りには、前田の興行には二千五百人を超える観衆が集まった。前田がハバナの港に着くと同時に、すでにスペインやメキシコでの彼の活躍を知る興行主によって、「コンデ・コマに勝ったら一万ドル、勝負が十分以上保ったら(降参しなかったら)二百ドル進呈」という新聞広告が出されていた。この賭け金を目指して、約四百人が前田に戦いを挑んでいる。

当時キューバの格闘技といえば、カナリア諸島から渡ってきた労働者の間に伝わる単純な力比べしかなかった。互いに相手のタイツを握りしめ、握った両手を離したら負け、膝を地面についたら負け、指一本でも地面についたら負けという簡単なルールの勝負だ。だから、前田が汗ひとつかかずに相手の力を利用して投げ、押え、思わず悲鳴をあげさせる関節技を繰り出す姿は、彼らには驚異だったはずだ。別の日の記事では彼の技を紹介して、「身体の最も弱い部分を攻める深い人体工学の知識に基づいた技」と書かれている。前田が得意とした釣り込み腰、体落とし、横落とし、谷落とし等の腰を支点にした投げ技と、腕ひしぎ逆十字、膝十字、アームロック等の関節を極《き》める関節技が、力技ではなく、支点・力点を使ったテコの力を応用した技術＝テクニックなのだということが、キューバ人にも理解されていたことがわかる。

「人体工学の知識に基づいた技対ヘラクレスの力」

新聞にこう形容された戦いは、陽気で賭け事好きなカリビアンたちを熱狂させるには充分な顔合わせだった。興行主は、より一層掛け金を釣り上げ一人でも多くの観客を会場に誘うためだろう、対戦日を当初の予定から直前になって三日延ばし、一九日土曜日に繰り下げている。

やがて当日朝。さらに観衆の気持ちを煽る記事が掲載されてた。

圧勝で無敗伝説にさらに輝き

「大和前田はこれまでのところ無敵であり、彼をして神に祈らせた者はいまだ誰もいません。追い詰められても、次の瞬間、彼は手、あるいは足で抗《あらが》いがたい技をかけるのです。一方フォルニエールは力の男です。偉大な柔術家がその素晴らしい技をもってして、絶体絶命の窮地に陥《おとしい》れても、その凄まじい戦いの中で、フォルニエール〝現代版ヘラクレス〟は、黄色い巨人をその恐るべき腕力で地の果てに送り込むことでしょう」

こんなトーンの記事が連日掲載されたのだから、キューバ中の酒場や街角で「コマだ」「いやフォルニエールだ」という予想合戦が展開され、賭け金も倍々に膨れていったことは想像に難くない。一九二一年当時キューバに降り立っていた日本人移民は三百四十九人。彼らにとっても、懐かしい「大和」という言葉の響きとともに、この戦いは「日の丸」と「日本人」の威信をかけたものであったに違いない。

戦いの場は首都ハバナの中心地に今も残る市内随一の劇場、パイレ劇場（取材当時は映画館）。ところが、やっと入場チケットを手にして興奮の頂点で客席に詰め掛けた大観衆がこの日目にしたものは——。

翌日の新聞は、こう伝えている。

「一九二一年一一月二〇日。

昨夜、サーカス興行の最後にパイレ劇場のマットの上に、〝柔術の世界チャンピオン〟コンデ・コマと〝驚くべきフランス人格闘家〟ムッシュ・アンドレス・フォルニエールが登場しました。この戦いは、どちらか一方が倒れるまでというルールで行われました。この対戦で、日本人師範の戦いの技と理論と、フランス人格闘家の先史時代の原始人のような力との差が、ムッシュが偉大な先祖ゴール人の神に祈らなければならなくなった第七ラウンドで明らかになりました。そのラウンドで柔術の世界チャンピオンは、フランス人と決着をつけるべく得意の腕技で挑んだのです。このコマ師範の技は空中でかけられ、犠牲者とともにマットに降りた時にはもう相手は成す術《すべ》もなく降伏させられていたのです」

戦いは、前田の技に軍配が上がった。しかもこの記事の後半には、こんな記述も見られる。

「フォルニエールはどうか二度と『世界チャンピオン』とは戦わないでください。重量挙げや、そのヘラクレスのような力を披露することはあっても、二度とふたたび、大衆の前で戦いの知識なく、素晴らしい格闘家に敗北しないでください」

この辛辣《しんらつ》な「二度と戦うな」という強い口調からは、試合は七ラウンドまで進んではいるが、かなり一方的に前田のペースで終わったことを想像させる。身長も体重も大人と子供ほどの差があり、まして腕力もヘラクレス級の相手に対して、前田は六ラウンドまでじらして戦い、最後の勝負所ではきっちりとアームロック＝関節技で仕留めている。日本に残る資料によると、その前二回のキューバ遠征時にはあまりにもあっさりと相手を関節技で仕留めてしまい、「早く勝ち過ぎた」という反省も書いている前田だから、七ラウンドという勝負時間は、「計算ずく」だったとも理解できる。

すでに現役時代のピークは過ぎていたとはいえ、ヨーロッパ各国を歴戦してそれなりの成績も残している「力自慢」のレスリング・チャンピオンに対する圧倒的な「技」の凄《すご》味《み》。それは、キューバ人ジャーナリストの目に深く刻まれ、「二度と戦うな」という表現になった。フォルニエールに対する批評の厳しさは、そのまま往時の前田光世＝コンデ・コマの強さを物語っている。

フォルニエールは後に、同じ新聞紙上で「私はコンデ・コマの腕と首を締め上げるコンビネーション技には耐えられなかった」と潔く書いている。試合中、前田は飛びつき腕十字固めでフォルニエールを攻めたて、途中から両足を使った三角絞めに移行してギブアップを奪った。前田の技の多彩さを示している。

かくしてコンデ・コマ＝前田光世は、いよいよキューバの英雄となった。この時の滞在期間は約半年。バガ・ゴルダの余韻が残るカリブの街での生活を楽しみ、「無敗伝説」にさらに輝きを加えて、各地で柔術の講演（今でいえばワークショップ）や興行（他流試合）を重ねていった。

古い新聞に残るもう一人の日本人柔道家

その時代から約七十五年（取材当時）。現在のホセ・マルティ図書館に残るボロボロになった新聞紙面には、連日のように「コンデ・コマ」関連の記事が掲載され、行間からは前田の得意げな高笑いが聞こえてきそうな勢いだ。この試合以外にももっと彼の記事はないか。できるならば彼の雄姿を写真で確かめたいものだ。そう思ってソロソロとページを傷めないように捲っていた時に、思いがけない活字を発見した。

日付は、フォルニエール戦前の一一月一日。キューバ東部の町シエンフィエゴス発と書かれた記事に、前田光世ではない別の日本人名が書かれていた。

「KUBOTA」

キューバの移民一世、内藤五郎さんが「第二次大戦中に収容所で出会った」と語っていた、窪田忠雄さんに関する記事だ。

「一九二一年一一月一日。

　昨夜、フロント・ハン・アライ（FRONTON JAN ALAI）において、大勢の観客の前で、コンデ・コマと彼の仲間であるサタケ、オクラとスペイン人インコグニートが地元の格闘家たちと対戦し、その技を披露しました。観客は、その素晴らしい〝身体の文化〟ともいえる試合に、熱狂的に拍手を送りました。またこの熱狂は、日本人居留地のクボタという若者が、オクラ師範相手に予期しなかった攻撃で挑んだ時に、頂点に達したました。

　彼は日本軍の将校であるという人も、ただの日本人居留者であるという人もいます。観客は、そのアイドルに惜しみない拍手を送りました。

　クボタは真剣に、また巧みに師範相手に虎のように攻撃し、跳び、コンデ・コマのような技をかけ、師範と五ラウンドまで戦いました。

　その夜の感動的な試合は、本当に驚くべきものであり、その素晴らしい戦いぶりにはただ感心するばかりです。聞くところによると、コンデ・コマは魅力的な契約を申し出たそうですが、好青年クボタは断ったとのことです」

かつて第二次大戦中、日本人収容所の中で五郎さんが聞いた窪田さんの「コンデ・コマの前座をつとめた」という自慢話はホラではなく、新聞にも書かれるほど脚光を浴びた事実だったのだ。しかも記事によると、前田が連れてきたオクラという柔道師範を相手に、五ラウンドを戦い「感動的な勝負をした」という。「収容所内での喧嘩では相手に金玉を握られて負けた」という滑稽な話も伝わっているが、その二十年前、当時二十歳の窪田青年は確かに強い柔道家だったのだ。

故郷の新潟を発ってから約五年、まさか日本で習った柔道の技がキューバで喝采《かっさい》を浴びることになるとは窪田さんも思っていなかっただろう。今ならば、日本の草野球の選手が突然ヤンキース・スタジアムでヒットを打ったような快挙のはずだが、この時、窪田さんは前田の仲間に加わることを断ったという。当時の移民たちは、「一万ドルもって故郷に錦を飾る」のが最大の夢だったと言うが、興行はその栄光とは別世界だったのか。あるいはせっかく軌道に乗り出したキューバでの生活を捨て、前田とともにアマゾンのベレンに行くことを嫌ったのか。

この記事によるサタケとは講道館で前田光世とほぼ同期、双璧と言われた佐竹信四郎。窪田さんと戦ったオクラという柔道家は、大蔵という名の隻眼《せきがん》の男で、一八九五年（明治二八年）に京都に創立された武徳会の出身者だった。この記事によって、窪田さんの柔道の腕前もまた、当時としてはかなりのレベルだったことが証明されたことになる。

前田が遺した詳細な記録

もっともこの時代にあって世界を戦い歩いた前田の歩みは、ただ勝利だけによって記憶されるべきではない。旅先から日本に送られた前田の手紙を見ると、幾多の戦いを通して前田が詳細に記録しているのは、その勝利数よりも異種格闘技戦を戦い抜く「ルール」の大切さだ。「小」が「大」を相手にする時の「セオリー」と言い換えてもいい。日本人が世界に出た時に、どのように戦えばいいか。どうすれば身体の大きな相手と戦えるのか。異文化と対峙した時に、自分の中にルールを持つことの大切さ。相手と自分の違いを明確にして、何を「勝負」の基準にするかをはっきりしておくこと。異文化と出会った時の普遍的な対処の仕方を、前田の記録は教えてくれる。

『前田光世の世界制覇』の巻末に、前田自身の筆による「余が経験せる西洋角力」という一文が収録されている。これは、一九一〇年のキューバ訪問の折りに書かれたものだ。すでに渡米から六年。北米、ヨーロッパ、中南米での歴戦の結果、前田なりに異文化＝レスリングに対する見方が定まってきている。その要点を紹介しよう。

「西洋角力は紀元前三千年頃にエジプトの地に起こった。そして図によって示された手は二百五十手もある。ところが僕をして言わしむれば、日本だって西洋だって人間あって以来、角力はあったものだ。鳥獣には爪、牙、角、蹄《ひづめ》などがあるが、人間には身についた武器がないから、やがては刀、槍、弓など案出したけれど、これに先立って、腕力で敵を制する術を工夫したものに相違ない。それが練習を積んで西洋人は、紀元前三千年頃に二百五十手の型を完成したものと見える。

かつてエジプトに起こった二百五十手は、その後ギリシャに移り、紀元前七百六十七年のオリンピックゲームの際には角力もプログラムに記されてあった。ところがギリシャを経てローマが盛んとなるや、角力もローマに栄えた。ただし、奇怪なことには、勝利者は名誉はあるが、負けた者は刺し殺したとかいう。で、試合は全身に油を塗って捕らえがたくしたらしい。その時のスタイルは今に残っているグレコ・ローマン（筆者注　前田は「グリーキ・ローマン」と書いている）流の角力なのだ。この流行はその後、ドイツ、フランス、イギリスの他欧州諸国に伝わって、その国々によって種々分化発展した。で、現在では五種類残っている。
①グレコ・ローマン流 GREEK ROMAN STYLE
②キャッチ・アズ・キャッチ・キャン流 CATCH AS CATCH CAN STYLE
③カンバランド流
④コーニッシュ（又はカラ・エンド・エルボ）
⑤イスランド流
だ」

この頃になると、前田もある程度は英語ができるようになっていたようだ。旅の間に文献を読み、レスリング関係者からの伝聞を集めて、その歴史を知識として体系化している。それにしても、紀元前に遡ってレスリング史を的確に押さえていることは驚きだ。前田の格闘技に対する好奇心の強さがわかる。ただし、古代ギリシャで開催された第一回オリンピア競技は紀元前七七六年。前田は七六七年と書いているが、この文章はキューバ（あるいはそれ以降、南米の地）から日本の薄田斬雲に郵送され、それが活字化されたものだから、その過程で誤植となったか。あるいは前田が誤って記憶していたか。今となっては定かではない。

以下、文章は「裸体」の者に勝負を挑まれた時の考察から始まる「勝負の条件は如何」というテーマに続いていく。

柔道着なしの試合を求められ

「外国角力達《レスラーたち》には折々、裸体でやろうという者がある。その時には、僕は今日の人間は生まれたままの裸体ではない。皆衣服をつけている。裸体の勝負は不自然だ。柔道は自然な身術だ。裸体なら応ぜぬと拒否している。

裸体でやったところで負ける心配はないが、勝つことも容易ではない。角力の巧みな者になると、裸体ではほとんど勝てぬといっていい。それなら負けるかというと、負けるとも思わない。体重に大差がなければ決して負けぬ。だがこれは柔道を充分にできる人を基準としての観察だ。もし体重が四十～五十斤《かん》（二十四～三十キログラム）も多い力士と裸体でやると、勝算はないのみならず、うっかりしていては二倍の強力で手足や首を力任せに捻じられて、不覚をとらぬとも限らぬ。稽古着なしでは、柔道の投げ技も覚束なく、かえって彼ら力士の得意とする長い手で両足を掬《すく》われて倒される。

然らば絞め手はどうかというに、裸絞め、抱き首くらいしか用いられぬから、これまた容易でない。抱き首はちょっとした機会にできるのであるが、裸絞めは相手の後ろに廻らなければならぬ。彼らは相手を後ろへ廻すような間抜けなことはしない。敵のために後ろへ廻られるような角力は余程の鈍物なのだ。で、柔道家は彼らに対して、裸体勝負をやるは法度だ」

続いて、前にも述べたように、投げてからどうするのかの考察に入る。投げる前、あるいは投げてからも相手の両袖を離すなというセオリーが、ここで語られている。

「柔道家は双方稽古着姿で彼らと勝負する場合にどんな投げ技を用いたらいいかというに、僕が従来の経験によると、相手の両袖を捉えての釣込み腰が一番いい。というのは、僕が釣込み腰が得意だからではない。敵の両袖を捉えることが最大の利益なのだ。両袖さえ捉えていれば、投げ損じても敵の手を封じているから大丈夫なのだ。

ここで釣込み腰で注文通り投げたとしても投げ放してはいかぬ。同体に落ちて、捉えている袖を左右に伸ばすのだ。すると巧者な角力もすぐには起き上がれない。かつこちらを反対に覆すこともしえない。その間に、こちらは変化して絞めるなり逆を取る（関節を取る）なりすることははなはだ容易だ」

ボクサー対策も怠りなく

さらに、当時欧米を席巻していたボクシングに対しても前田の興味は向き、柔道との違い、戦い方、勝負の時の条件等を考察している。こちらは一九一一年（大正元年）一〇月一日発行の『冒険世界』に「余が経験せる拳闘《ボクシング》」として掲載された。ボクシングの本質をよく見抜いた前田の格闘家としての慧眼《けいがん》に注目してほしい。

「さて、西洋の拳闘なるものは何時頃から始まったかというに、やはり紀元前ギリシャのオリンピックゲームの時、五つの競技中の一つなる相撲の部に拳闘も含まれていたらしい。（中略）ゲームの場合は（突くのは）腰部より上と定めている。その狙い所は左右の顎《あご》、水落ち、心臓、肋骨、左右の下腹、左右の腰の上などだ。拳闘家同士の勝負の時、気絶するところを見ると、顎と水落ちがおおい。しかし一突きで気絶する場合は極少ない。足の運び方は前後左右、剣術の時と同じだ。突く時は手先でなく、全身で突きこむ。身の構え方は、多く左手を出して、右手は常に胸部、水落ち、肋骨のへんを妨げる様に曲げている。顔面は主に左手で防ぐ、突くには左手も用いるが、主に右手の突きで相手を倒す。フランス流の蹴ることも加えてある方は、柔道家にとって一層難物だ。足は殆ど手で突く様に速く、蹴る。そして蹴ることは、突き手の達せぬ距離からでもできる」

さらにここでも、柔道家はボクシングとどう対峙すべきかということが考察されている。

「そこで柔道家が今日の状態で、どうにかして妥協して拳闘家と勝負しようというには、条件はなかなか面倒だ。柔道全体でやるとすれば、睾丸を蹴ること、あるいは膝頭で突き上げることは最も有効であるが、これでは拳闘家が怖じ気《おけ》づいて応じない。それなら逆を取って腕を折ってもよいかというと、これも御免だという。実地格闘（決闘）の場合ならそれが当然なのだが、後進国の貫目《かんめ》が足りないから、無理押しに彼らを承諾させることができない。（中略）僕は、拳闘家と勝負する時の条件をこう考えた。双方日常道を歩くままの服装で、柔道の方は投げ、逆（関節）、絞めを用いる。拳闘家の方で降参するまでとし、柔道の方では突かれて気絶して十秒間起き上がれぬ時は負けとする。そのかわり、拳闘家の方では手袋をかける。柔道の絞めの場合、相手は手足を拍《う》って降参の合図をすればよいが、さもなくば十秒間起き上がれなければ負けとする」

柔道こそ世界最強の実戦格闘技

この文章の中で、前田は以下に示すように「拳闘は柔道の一部を用いているだけで、護身術としては幼稚なものだ」と語り、柔道＝護身術と明確に定義している。護身術とは、路上に不意に暴漢に襲われた時にも、どんな相手にも充分に対応できるような柔軟性がなければいけない。柔道こそ、世界最高の総合的かつ実戦的な格闘技だというのが前田の主張だ。

「我が柔道は西洋の相撲（WRESTLING）や拳闘（BOXING）以上に立派なものであることは僕も確信している。拳闘は柔道の一部を用いているだけで、護身術としては幼稚なものだ。（中略）（拳闘は）個人的なゲームで、八方に敵を予想した真剣の護身術ではない。だから体育法としても精神修養法としても、また理屈詰めの西洋人流に科学的に立論しても、我が柔道と彼らの拳闘とは優劣同日の談にあらずである。(中略)ただ彼らはゲーム的に『おれは拳闘のチャンピオンだ、相撲のチャンピオンだ』といっているので『おれは世界一の護身術の達人だ』とは威張っていない。ゲームと護身術では立脚の根本義が違う。『貴様は素手で僕と格闘する必要が起こった場合には、僕に殺される』といわれても、彼らは血眼になって反抗はしないだろう。ただ『私は拳闘というゲームの達人です』と無意味な答弁をしておさまることだろう」

この頃前田は、「柔道＝世界一の護身術」の誇りにかけて、ボクシングの世界チャンピオンにも挑戦しようとしている。

「(白人を倒して拳闘チャンピオンになった)ヂョンソンを破りたいのだが、僕が柔道で行くとヂョンソンは応じない。他流との試合は御免だというだろう。こうなると、拳闘は護身術ではないただのゲームであることはいよいよ証拠だてられる。もし僕が当てる蹴るの二手を除いても柔道で向かうなら、最期においてヂョンソンを降参させうる鉄の如き確信を持っている。離れている間こそ多少の危険もあるが、突貫肉薄して敵の体につかみついたら、僕はヂョンソン以上の強力者をいくたびも降らせた経験上必勝をきしているのだ」

グレイシー柔術に受け継がれる前田の訓《おし》え

この一文から思い起こされるのは、現在のグレイシー柔術界最強の男といわれるヒクソン・グレイシーの言葉だ。一九九五年暮れ、ロサンゼルスの高台に在る豪邸で、彼はこう言ったことがある。

「マイク・タイソンがボクシング界最強の男であることは承知している。けれど彼がこの地球上で最強の男だというならば、私は彼と戦わなければならない。それはグレイシー柔術に対する挑戦状だと私は理解するからだ」

グレイシー家には、先代のエリオ・グレイシーが褐色のボクシング・チャンピオン、ジョー・ルイスに公開挑戦状を出したことを記す新聞記事が額に入って保存されている。ルイスは結局この挑戦を受けなかったが、額の中の記事は「戦わずしてグレイシーが勝った」という彼らの誇りなのだ。これらの言動は、「ボクサーを拳闘というゲームの達人と言うならば許すが、世界一の格闘王というのは認めない」と語った前田から繋がる血と理解するしかない。「柔道の」というよりも「護身術の」という意味で、前田の血を最も色濃く引いているのは、ブラジルに根を張るグレイシー家であることは間違いない。

日本においても明治末期、東京で柔道対拳闘の試合が行われた記録がある。そのことを知った「最強・無敗」の誇り高き前田は、居ても立ってもいられないといった勢いで、遠くキューバからこんなメッセージを寄せている。

「折々東京で、外人拳闘家と我が柔道家との試合があるようだが、やれ突きが五点だの絞めが三点だのといって、五分間を一切り上げにして点数計算をするのは児戯だ。それでもって、拳闘と柔道の試合だなどは勘違いだ。そんなことをする柔道家こそ本当の興行師だ。僕は木戸銭を取る公開の場で勝負したからとてそんな児戯をやったことはない。一方が降参するまでの真勝負をする。僕は興行師ではないと言い張ることは、この点で十分の理由があると確信する。僕らが単身海外に出て真勝負をしている間に、郷国の首都でそんな児戯試合をやる者があるかと思うと、真実癪《しゃく》に障《さわ》る。以後はそんな興行師柔術屋を講道館諸君が退治してもらいたい」

東京にいた前田の直系弟子

後に前田はベレンで「アカデミア・デ・コンデ・コマ」という名の道場を開き、ブラジル人や日本人移民等に柔道を教えている。グレイシー柔術の始祖、カルロス・グレイシーを教えたのもこの道場だった。ここで前田は、柔道＝世界一の護身術というポリシーを持って弟子たちに対していた。

九六年の取材時に、この道場はもはや存在していなかった。同じ名前の道場を経営するブラジル人がいるが、それはコンデ・コマの名前を借用しているだけにすぎない。今となっては当時の前田がどんな言葉で柔道の神髄を教えていたか定かではない。だが東京にたった一人だけ、当時のベレンの道場に伝わる前田の教えを受け継いでいる日本人がいた。前田の死後もしばらく残っていたこの道場で、一九六〇年から約四年間、柔道を習った尾崎英行さんだ。英行さんは、戦前戦後、二度にわたってベレンの領事官を務めた父、故・尾崎龍夫氏に連れられて、少年時代をベレンで過ごした。龍夫氏は前田とも昵懇《じっこん》で、その最期を見取った人の一人だった。

英行さんは言う。

「私が習い始めた頃は、道場は消防署の一角にありました。畳ではなくて、ローナと呼ぶマットが敷いてあったと思います。夕方四時頃になると十名程度の練習生が集まってきました。コーヒー袋のような生地の柔道衣を着て、乱取りなどをしたものです。

特に黒人のアルフレッドという人が強かったと記憶しています。ルッタ・リブレ（ブラジル特有の格闘技）の選手と試合するからといって、私を首の上に載せてピーザ、ピーザ（踏め、踏め）といいながら首を鍛えていました」

この道場で、英行少年は当て身（突き）や蹴りの稽古も行った。ナイフを持つ相手に対してどう腕を極めるか。後ろから羽交い締めにされた時にどう対処するか。ポルトガル語で「デフェーザ」と呼ばれる護身術がその稽古の中心だった。

現地の人の記憶によると、アルフレッドは前田から数えて四代目の師範になる。尾崎少年が入門したのは前田の死後約二十年後。その頃までは、前田の教えはアルフレッドに引き継がれ、ベレンの道場で脈々と息づいていた。彼は入門者に対して、まず前田光世＝コンデ・コマが生前口癖にしていた言葉を教えることから稽古を始めていったという。

「ヴィヴェール・センプレ・ア・テント＝いつも心に危機感を持て」

「エステージャ・センプレ・ナ・ポズィサアオン・デ・エストゥダンテ、センプレ・コモ・アルーノ・センプレ・アプレンデンド＝なんでも採り入れろ。いつでも学ぶ立場でいろ」

柔道の投げ技にしても、投げる前に肘打ちを加える。脛や膝を蹴ってから投げる。投げたら即座に相手の関節を極める。あるいは頸動脈を絞める。言葉とともに道場に伝わっていたのは、極めて実践的な技だった。

これらの技は、スポーツとして体系化されてきた現在の柔道では姿を消している。試合というよりも、実戦を想定した「果たし合い」に適したスタイルだ。この流れは、唯一グレイシー柔術が他流派との戦いに限って用いる「ヴァーリ・トゥード（何でもあり）」のルールに残っている。現代にあってこの戦いかたは、あまりに残虐という理由から好ましく思われていない。アメリカでは州によっては禁止令を出しているし、日本でも年に一度か二度、このスタイルの大会が開かれているにすぎない。

けれど歴史的に見れば、講道館柔道の古式の形《かた》には、相手が日本刀を持った場合の形、ピストルを持った場合の形等が残っている。嘉納師範が教えていた当時の柔道は、今よりもずっと護身術としての要素が強かった。その教えを受けた理由は、ベレンでも忠実にそれを後輩たちに伝えていたわけだ。

ベレンの街では、当時の前田を知る古老の間で、こんな言い伝えも残っている。

——コンデさんは普通に街を歩いていても、曲がり角に来ると必ず大回りして、死角に誰かいないかを確かめてから歩き出した。晩年になってもその癖は直らなかった。

——勝負に際しては、二つのことを言っていた。一つは、絶対に勝つという意気込みで、相手から目を離すな。二つは、相手が息を吐いた時に飛び込め。息を吸う瞬間こそ弱い時だから。

異国の地において前田の日常は、そのまま「格闘」だったことを示すエピソードだ。

コンデ・コマの名前の由来

ところで、後に伝わる「伯爵」を意味するコンデ・コマの名の由来についても記しておこう。誉れ高きその名は、この世界歴戦の旅の中で付けられている。

一九〇八年（明治四一年）五月末、ロンドンからパリ経由でスペインに入った頃、前田はこう書いている。

「僕がスペインに乗り込んだ時、首府マドリッドに我こそ日本一の柔道チャンピオンだと名乗っていた男があって、その男が今にバスロナ市（バルセロナのこと）へ来るという噂だ。ところが、彼は僕のことをよく知っているから、僕が今バスロナにいると知ったら逃げてしまうだろう。で僕が本名をかくさなくては、僕を招聘《しょうへい》した劇場主の目算が外れて困るという。そこで僕は何と変名したものかと考えたが、妙案が出ない。これは困る。それに、この頃不景気で困る。困る、困ると考えて『前田コマルはどうだ？』と自ら吹き出したが、語呂が悪い。で、コマルのルを除いて単にコマと呼んでみた。これがコマの由来だ。ところがスペインの知人がその後、単にコマでは調子が悪いからといって、コンデ（伯爵）という称号をつけてコンデ・コマと呼ぶことになった。即ち、CONDE　KOMAだ。勝負には百戦百勝する。伯爵の称号を加えても恥ずかしくないというのだ」

バルセロナ市内のカタルーニャ図書館に残る『LA VEW DE CATALUNYA＝カタルーニャの声』紙に、初めて「Ju-jutsu」の言葉が出てくるのは一九〇八年六月二四日。市内に今も健在のチボリ劇場において、ロンドンからやって来たTARO　MIYAKE＝三宅太郎という柔術家が模範演技を見せるという知らせが記されている。

前田の名前がこの新聞に登場するのは、同年七月三〇日。翌三一日に行われる柔術の興行への来場を呼びかける記事だ。その中で前田の名前は「YAMOTO　MAIDA（KOMA）」と記され、肩書は柔術のチャンピオンとなっている。さらに興行では柔術の素晴らしさを紹介するために、三十分で十人倒すことが予告されている。それが無理だった場合には、対戦者全員にそれぞれ五十ペセタずつ支払うという条件付きだ。

　続く八月六日には、前田が「コマ・クラブ」という名のスポーツクラブを開いたことが伝えられている。

「チャンピオン・ヤマト・マエダのファンであり、また柔術のファンである若者たちは、その名誉会長であるチャンピオン（＝前田大和）によって命名された『コマ・クラブ』を結成しました。チャンピオンは、そのクラブを命名することと会員への指導を快諾したのです。今流行のスポーツクラブです。詳しい情報は、市内エリザベス通り五番地の三階一号室へ」

　その登場からわずか一週間たらずで道場ができるほど、前田の人気は圧倒的だったのだ。

　一連の記事の中には、前田や三宅だけでなく、何人かの日本人の柔術・柔道家の名前が記されている。この頃世界各地には、柔道を広めるために海を渡った日本の若者が大勢いた。あるいは日本で食い詰めて、海外で得意の「柔《やわら》」の技を使って日銭を稼ごうとする柔術家も多かった。欧米各地には、そうした男たちの記録がたくさん残っている。

柔の技を興行として成立させるために、彼らは欧米人に覚えやすい名前をリングネームとした。三宅のように、本名で記されている者はむしろ珍しく、この記事の中にはRAKUというリングネームも出てくる。ロンドン在住の柔道史研究家、リチャード・ボーエンによれば、RAKUとは一九〇五年にロンドンに渡り、市内ゴールデン・スクエアに道場を開いていた上西定和のリングネームだという。

「RAKUはイギリスの観客には馴染みやすく覚えやすい名前だった」とボーエンは言う。前述した大野秋太郎の「ダイブツ」もそうだが、当時の柔術・柔道家たちは、公開勝負＝興行に臨むにあたって、自分なりにファンを増やす工夫を凝らしていたようだ。あるいは前田のKOMAという単純な二音の名前もまた、そもそもはその慣習に従ったものだったかもしれない。

しかも、七月三一日に興行が行われた競技場の名前は「COMTAL＝伯爵競技場」と記録されている。COMTALとは名詞「CONDE＝伯爵」の副詞語であり、ここから

ＣＯＮＤＥ　ＫＯＭＡのニックネームが付いたことも充分に考えられる。

カタルーニャ図書館に残る資料では、ＫＯＭＡという表記はあってもＣＯＮＤＥという表記は見つからない。後に記すが、翌年にメキシコで発行された新聞やさらに年代が下るアマゾンのベレンの新聞では「ＣＯＮＤＥ　ＫＯＭＡ」の表記が登場してくるから、この称号は前田が書いている通り、スペイン滞在中に観客の間でニックネームとして付けられたものと判断できる。

もっとも晩年になると、前田は私信の中で自らの名を「高麗《こま》」と書いている。普通に判断すれば、それは四世紀前後に朝鮮半島に栄えた王朝の名前だ。日韓併合は一九一〇年（明治四三年）だが、一九〇五年から日本は韓国に保護条約を強要し、統監伊藤博文は露骨な侵略政略を展開していた。遠くアメリカやヨーロッパでそのニュースを聞いていた前田には、朝鮮半島のことも頭にあったはずだ。そこから「ＫＯＭＡ」の名前を思い付いたとしても不思議ではない。

前述したように、前田自身、嘉納治五郎の定めた「他流試合禁止」の禁を犯して興行を行っていることは自覚していた。けれどそれ以上に、自分は世界一の格闘技として柔道を世界に広めているという矜持《きょうじ》があった。それが「コンデ＝伯爵」という名を受け入れる動機となり、コマという名前と語呂がよかったことから「コンデ・コマ」という名前が気に入り、スペイン以降の旅では、それを本名のように使いだした。

いずれにしてもその名の誕生の由来は、時代と時の経済事情と人々の敬意が入り交じった、複合的な要素があったとみていいようだ。

五章

墨西哥《メキシコ》

一九〇九「排日思想」

メキシコで開かれた柔術ジム

一九〇九年（明治四二年）一一月二〇日付のメキシコの新聞『EL　HERALDO』は、「コンデ・コマの好投打」と題して、こんな広告記事を載せている。

「コンデ・コマの好投打　国際アスレチッククラブ

メキシコ市のスポーツクラブに、柔術の青年男子クラスがクラブ会員対象に開設されました。柔術とは、今日知る限りでは非常に有益で役立つスポーツであり、全ての筋肉を鍛えることができる唯一のスポーツです。

このクラブでは、浴室とジムスペースが完備されており、また、他とは比べ物にならない広々としたスペースを確保しており、有能な日本人およびメキシコ人のプロスタッフも揃えております。トーナメント用のリングもあります。どうぞお立ち寄りください。

日曜午後のアスレチックはこれからますます流行する兆《きざ》しです」

この時前田光世＝コンデ・コマは、アメリカ、イギリス、スペイン、キューバ（一回目）を経て、メキシコに辿り着いて四ヶ月目に入った頃だった。すでに首都メキシコ市内第一の劇場「プリンス・パール座」では何日間にもわたって柔道の講演を行い、公開勝負としても、「猛牛を倒した男」という触れ込みだったトルコ人トートラルを腕十字固めでギブアップさせた勝利が記録されている。そのニュースは地方新聞にまで掲載され、前田はメキシコ中ですっかり有名人になっていた。陸軍大学で行われた講演の客席には、メキシコ大統領や日本公使、陸軍大臣等も出席している。

だがそうした公開勝負だけが前田の日常ではなかった。バルセロナについでメキシコでも、前田は町のジムと契約して、地道に柔道の普及活動も行っていた。前田が体現する柔の術は、全身の筋肉を鍛えるスポーツとして、一般市民にも人気だった。

メキシコでは、すでにこの頃日本人移民が多数入植していた。首都から遠く離れた辺境の地で生活する彼らに招かれて、前田は時には列車に四十時間も揺られながら日本人村を訪ね、講演や柔道教室を開くこともしばしばだった。

すでに日本を発ってから五年。旅から旅へ、新しい街を訪ね歩く生活の中で書かれた前田の手記や友人への手紙からは、さまざまなものが読み取れる。この時代、海外に出るといえば政府官僚や軍人、あるいはエリート学生たちの「留学」か、一般庶民の「移民」といった定住型の渡航がほとんどだっただけに、世界を放浪した日本人の記録としてみても貴重であり興味深い。

「（メキシコの）首都を去ってから一ヶ月以上になる現今《いま》は、米国の境に近い町にいるが、ここには後もう二週間滞在してそれから再び首府へ帰る覚悟だ。この国の汽車旅行くらい殺風景なものはない。漠々《ばくばく》たる大砂漠の中を、汽車はすこぶる無趣味に走っている。乗客は窓から飛び込む砂塵《さじん》を食って生きているようなものだ。しかもそれが首府まで四十時間続くからやりきれない。（中略）

決して自慢するわけではないが、近頃ではどんな田舎の町へ行っても我輩を知らない奴は一人もおらぬ。イヤ自分でもこれほどではなかろうと思ったが、実に予想以上だ。それがまた我輩には実に有難迷惑で、時々閉口することがある。うるさいから、微行式《びこうしき》で散歩をすると、それ『コマ』が来たというので、たちまちのうちに野次馬の包囲攻撃を受けねばならぬ。料理屋などに行こうものなら大変で、まるで王侯貴族のように取り扱うから、こちらもその気になって大いに贅沢しなければならぬ。まるで祭り上げられたようなもので、馬鹿馬鹿しくてたまらない」

日露戦争の影響

　このコマ人気は、もちろん前田自身の武勇によるところも大きいが、当時のヨーロッパにあって、一九〇五年の日露戦争での日本の勝利の記憶も強く影響している。前田はその点もしっかり観察している。

「日露戦争以来、日本の評判が余りに高まり過ぎているので、この点からいっても尚々奮発しなければならない羽目に到っている。君も知ってる通り（自分は）呑気《のんき》は呑気だが、こういう真面目なことになると確かにこの胸の奥底に考え込んでいるから、そのへんは乞《こ》う意を安んぜよ。

　一時は東郷大将とか大山大将とかいって、随分うるさく人の口端《くちは》にのぼったものだが、今では戦争談でも出れば格別そうでなければ、日本のこととしいえば、猫も杓子《しやくし》も柔術柔術で持切りで、まるで日本の柔術か、柔術の日本かわからぬという騒ぎだから、これで飯を食っている我輩如きもいささか面食らわざるを得ないのだ。これも早く言えば戦勝の結果であろうが、それにしたところがよくもこう（柔術が）広く深く伝播《でんぱ》したものだと思う」

この記述からも、西欧諸国での日露戦争のインパクトの強さがわかる。また、この頃の海外での日本、あるいは日本人のイメージが、柔術＝格闘技に代表されていたことにも納得できる。その旗手たる前田は、だから、意地でも負けるわけにはいかなかった。

「当国で柔道をやっていると、日本の相撲と同じで、やはり一種の人気商売といったふうになるものだから、人からワイワイ騒がれたりおだてられたりすると、当人もその気になって飛び回るから、自然とくだらぬことを考える暇などはなくなる勘定だ。このままでいくと、当分は歳など取れまいと思うが、それでも万が一負けた時は斯道《しどう》の名折れ。一つには国辱になるわけだから、どんなにしても勝たなければならぬと、人知れず苦心することがある」

柔術仲間と世界を巡る

それにしても――。

一九〇二年（明治三五年）の記録によると、世界に設置されていた日本公使館はわずか十五ヶ所（都市）。そこで働く外交官は、特命全権公使・弁理公使十六名、書記官三十名、外交官補と領事補併せて三十名にすぎなかった（『アフリカに渡った日本人』）。

その他に書記生と呼ばれる見習いのような立場の若者もいたが、これだけの人数で世界を相手に外交していたことも今考えれば驚きだ。前田光世のような若者が自力で世界を歩く時の心細さも偲ばれる。異国の地で、困った時に駆け込める大使館や領事館がそこかしこにあったわけではない。言葉の壁は、今よりも大きかったはずだ。入国の手続きから交通機関の手配、毎日の食事や寝床のことも、どうやって対処していたのだろう。トラブルが起こった時助けてくれる人はいたのだろうか。病気にかかった時どうやって症状を説明したのだろう。

異文化の中での一人旅。前田は時には佐竹、伊藤、大蔵、あるいは大野といった柔道仲間とともに旅を続けていた。けれど、それとてグループ旅行ではない。各自の目標が見つかれば、その時点を境に別々の道を歩き出している。基本的には一人旅だった。

だからこそ、旅を続けていく中で、前田は次第にコスモポリタン的な、国際人としての感覚を身に付けていった。私信には時折、自らの足で世界を歩き回った者だけが得ることができる皮膚感覚が記されている。

「(『冒険世界』編集者、押川春浪に対して)君もぜひ世界大旅行を企《くわだ》ててはどうだ。道順はまず米国に渡ってから、キューバを経て当メキシコへやってくるべし。それから南米を一巡してヨーロッパに出るがよかろう。ヨーロッパを先にすると、ロンドンやパリで味をしめる。そうすると、少し不便な土地へは足を踏み入れないようになる。世界漫遊の目的からいっても、そいつはいささか残念だから、道順は是非前田案を採用すべきである。

我輩は数ヶ月後に南米に渡り、それからヨーロッパを経て帰国する予定だ。が、それまでに是非どこかで会いたいものだ。こうして方々を巡っていると、随分痛快な収入もあるけれども、他からおだてられて大抵は吐き出してしまう。それだから、相変わらずさっぱりしたものだ。しかし贅沢な面白い世界見物をやっていると思えば、別に可もなく不可もなしだ。(後略)」(明治四三年八月一日発行『冒険世界』)

前田が半年間生活した一九一〇年頃のイギリス・ロンドンでは、すでに地下鉄が開通し、二階建てのバスも運行を開始している。前田にしてみれば、それはまさに文明の華開く未来都市と映ったに違いない。その驚きが「味をしめる」という言葉になっている。

単なる柔道王者ではなく「民族の星」として

この後一九一〇年、前田は二度目のキューバ訪問の後で、自身記している通り、グアテマラ、サンサルバドル、コスタリカ、ペルー、チリ、ホンジュラス、ニカラグア、エクアドル、ボリビアといった中南米諸国に渡っている。

そこでは、旅のハプニングがしばしば起きている。

「一夜柔道講演に出かけた後に、泥棒君のために大カバンをやられた。その中には、米金六百ドル、グアテマラの紙幣三千円、サンサルバドルの銀行為替六百ドル、ダイヤ五個入りカフスボタン二対、真珠とダイヤ二個入りのネクタイ一本、柔道の本二十冊、ルビ入りの巻煙草入れ二個、五～六年分の新聞切り抜き、プログラムを集めた大帳一冊など入っていたのだ。金や宝石は、どうせあぶく銭が身につかぬとあきらめても、惜しいのは新聞の切り抜きだ。これは、僕は唯一の名誉の記念にして、かつ武者修行の証書なので、従来の勝負や、講演に関して新聞の半面を費やして掲げられていたのがたくさんあったのだ。(中略)この泥棒君、かねがね狙っていたに違いない」

宝石や記念品を盗まれても、泥棒「君」と、むしろ親しみを込めて呼んでいるところがいかにも明治のバンカラの風の中に生きた男・前田光世らしい。細かいことにこだわっていたら、とてもこの時代に世界放浪などおぼつかない。物事を明るくとらえて、常に「前へ」という前田の性格が垣間見える。

一つ一つのトラブルや失敗が、逆に前田の経験となり財産になっていく。旅を続けていく中で、前田なりの旅のノウハウのようなものも次第にできてくる。メキシコ訪問以降、前田は見知らぬ国を訪ねる前にメキシコ公使に頼んで予《あらかじ》め訪問国に電報を打ち、いらぬ混乱を避けるようになった。

「サンサルバドルからは電報で、僕すなわちコンデ・コマ閣下を招聘しているのだ。（中略）僕は、世間一般の興行師待遇が厭《いや》だから、メキシコ駐在の日本公使に依頼し、行く先々の大統領に手紙を出して貰ってあるから、到る所の上流社会に顔出しすることになる。僕も海外に出て十年にして、こんな偉い殿様になるとは思わなかった」（大正三年五月〜六月発行『冒険世界』）

ここで登場するメキシコ公使とは、詩人堀口大学《ほりぐちだいがく》の父、堀口九万一《くまいち》のこと。九万一はこの頃、荒川公使が帰国した後任としてスイスから転じてメキシコにやって来て代理公使を務めていた。出身大学が早稲田でしかも講道館初段の柔道家であったことから、前田とは家族ぐるみの交際を行うようになった。後に前田は、ベレンで三回目の結婚（日本の戸籍に記載された正式な結婚としては二回目）をしているが、その時の婚姻届はメキシコの公使館から日本へ送られている。次の訪問先への電報と同様、九万一が便宜を図ったのだろう。

前田のメキシコでの滞在中、九万一はフランス人の夫人（後妻）と一人娘の三人で、毎週日曜日、前田に柔道を習っていた。夫人は前田のファンで、その公開勝負の折りには毎回会場に駆けつけて、興奮の余り新しい手袋を一つ引きちぎってしまうくらいに応援していた。九万一の元には、前田の活躍によってメキシコに柔術が流行し、日本人移民の肩身が広くなったという礼状がたくさん寄せられたという記録もある。

ここに見られる公使やその家族との交流、あるいは移民からの手紙等から見ても、異国で「伯爵」と呼ばれた前田の存在は、単なる柔道＝格闘技の王者ではなく、日本という国の威信を背負った「民族の星」だったことがわかる。

アメリカの排日運動に心を痛める

一方前田もまた、旅から旅の生活を続ける中で、メキシコ以降は日本人が集団で生活している入植地を意識して訪ね歩くようになっていた。前田が歩いたチリ、ペルー、ボリビア、グアテマラ、ホンジュラス、エクアドル等は、当時日本からの移民の候補地として一般的であり、現在よりも日本人にとっての心理的距離は近かった。

すでにこの頃日本には、外務大臣榎本武揚《えのもとたけあき》によって一八九一年（明治二四年）から外務省通商局内に移民課が設置され、世界各国に多くの人々が「出稼ぎ移民」として出ていた。この頃の前田の私信のもう一つの特徴は、世界各地に住む日本人移民の様子を観察した記述が多いことにある。

旅のスタートとなったニューヨークでも、前田が留まったのはロングアイランドにあった日本人村だった。通訳やガイドがいない当時、その選択は当然のことではあるが、世界各地における日本人の生活や、すでにきざし始めていた排日思想の様子を観察することも、前田の旅の目的の一つだった。

前田は、当時排日運動が盛んで、しかも日本の満州進出に対して圧力をかけていたアメリカに対して「米人が一番高慢で鼻ッ張りが強い。満州にちょっかいをかけたり、排日運動のと騒ぐのも、心底からの仕事とは思われん」と書き、メキシコで多くの移民が入植に成功している事例を目の当たりにしてからは、「メキシコは日本人移民を歓迎しているのだから、そこを移住地に選べばいい」と主張している。

「メキシコでは非常に日本人を歓迎している。（中略）僕はメキシコ内をほうぼう回って親しく移民たちと話してみたが、日本に居てＡＢＣも知らなかった連中が、今ではかなり語れる、書ける。かなり貯金もしている。一度首府メキシコ市で日本人会を開いた際には、二百人も集った。何《いず》れも立派な服装をしている。日本に居た時はネクタイやカラーなど見たこともないという連中もたくさん来ていた。彼らがあのままの服装で日本に帰ったら、銀座を威張って歩ける紳士だ。何の結果が悪いものか、移民を止めたのも、多くの移民はメキシコに留まるを欲せずに、米国へ入り込もうとしたからであったらしい。今では到底国境を越えて米国へ潜り入ることができないから、移民は皆安んじてメキシコに留まって働いている。入国を欲しない所へは行かないまでのことだ。（中略）米国へ行ったたって、金が落ちていやしまいし、メキシコでは賃金が多少少ないけれども、不便なだけに貯金はできる」（明治四四年二月二十五日発行『冒険世界』）

メキシコで出会った「榎本移民」

前田がメキシコで出会った日本人たちは、一八九七年（明治三〇年）、榎本が主宰する墨国《めきしこ》拓殖株式会社が送り出した最初の移民（通称「榎本移民」）たちと、いったんハワイやアメリカ本土へ移民で出て、そこからメキシコへ移住してきた者たちだった。

九六年当時、日本は毎年約三十万人の労働者を世界各国から受け入れている「労働力流入」の国だが、明治維新からほぼ一世紀の間、つまりつい五十年前の一九六〇年代までは常に「労働力流出」の国だった。少し時代は下るが、大正時代になると、昨今の海外旅行の必需品とされる『地球の歩き方』に相当する『海外発展虎の巻』というガイドブックも発行されている。そこには移民の資格、各国の法律、旅券取得の方法、渡航費用等とともに、南洋諸島、満州および沿海州、北米、南米等、合計三十七にのぼる国や島が移民先として紹介されている。

歴史的にみても、日本人の移民の歴史は古い。

幕府の鎖国が解かれ、実質的に日本人に海外渡航の許可が下りたのは一八六六年（慶応二年）五月（「海外渡航差許しの触達」）。直後の翌六七年には、外国人に雇われた奉公人というかたちで、九十通のアメリカ行き旅券が発行されている。

人々が集団を作って海外へ手稼ぎに出るようになったのは、六八年三月。明治新政府によって「五箇条の誓文」が出される頃、すでに神奈川奉行所が発行した旅券を持った移民たちがハワイへ三百五十名、グアム島へ四十二名、アメリカ領事館員ヴァン・リードの手によって横浜港から出国しようとしている（その後、四月一〇日に政権交代があったため、実際に出国したのは百八十名）。

以降、昭和初期までの流出人口は、約八十万人に上っている。

もちろん彼らは辿り着いた大地で、決して順調な歩みを記録できたわけではない。

例えば一八七一年（明治四年）、英国船オントレル号が神戸港に入港してきた時、そこには四人の貧相な日本人が乗船していたことが記録されている。船長のティロールによれば、船がグアムに寄港した際、極度に困窮した日本人が船を訪ねてきて日本への帰国を懇願したために、収容能力ギリギリの四名だけを連れ帰ったとのこと。この報告を受けた外務省は英国公使に召還を委託し、翌年までに二十八名の日本人がさまざまな国籍の船に乗せられてグアムより帰国している（『日本人出稼ぎ移民』鈴木譲二）。

前田が出会ったメキシコにおける「榎本移民」もまた、同様の苦汁を舐めている。

入植記録に残る移民たちの地獄絵図

一八九七年八月一八日。メキシコ市にある日本公使館に異様な悪臭を放つ四人の日本人青年が現れた。聞けば、彼らは入植したメキシコ南部のエスクイントラから三十六日かけて、約千二百キロの道のりを歩き通して来たという。口々に入植地の窮状と日本への帰国を叫び、時の室田弁理公使の足元に泣き崩れている（『メキシコ榎本殖民』上野久）。

この時の榎本移民の入植の記録を見ると、確かに地獄絵を思わせるものがある。一行のメキシコ到着は同年五月。午前中から三十度を超す熱気と雨期特有の蒸し風呂のような湿気が続く時期だった。入植者たちは朝から晩まで豪雨と酷暑《こくしょ》の下で重労働を続け、しかも食事は毎日毎度、握り飯と梅干しと味噌のみ。集団にマラリアが蔓延するのに時間はかからず、畑を開墾しようにも、原野には毒蜘蛛と毒蛇が待ち構えていた。

これは完全に入植時期の選択ミスだ。現地人は乾期に原野を伐採《ばっさい》して雨期に入る直前に焼き、それを肥料として種を蒔《ま》く。ところが榎本移民の到着時はすでに雨期の真っ最中。草木を切り倒すそばから新しい草が顔を出し、とても火がつくまでに乾燥しない。これでは予定していたコーヒー栽培には手のつけようがない。その上資金不足や拓殖会社の準備不足が露呈し、最初にできた入植地が崩壊するまでにわずか三ヶ月しかかからなかった。

前田光世がメキシコ国中を歩いたのは、榎本移民の到着から約十年後。最初の入植地エスクイントラはすでに崩壊し、移民たちの一部はアメリカ合衆国、南方のグアテマラ、あるいはカリブ海を渡ってキューバに移っていた。メキシコに留まった者たちは、アメリカ合衆国との国境に近い北部で生きるための闘いを続け、前田の手記に見るように、ある程度は生活の基盤もできた頃だった。

もっともいくら移住した先が地獄だったとはいえ、明治初期の日本国内も、同じように極貧状態だった。例えば、明治初期にグアムへ移民した甲州出身の農夫の記録が残っている。

「私は（甲州）二の宮村の百姓でありますが、両親は先年病死し、その後妻と二人で農業を営んでおりました。しかし不運が重なり貧窮に追い込まれ、田畑は残らず質に入り生活できなくなったために、十一年前に故郷から逃亡し無宿となり、やむなく駿州吉原で日雇いとなりました。ここもあまりによくなかったために、（中略）横浜の口入屋亀屋亀吉を訪ねて世話を頼みました。その節、神奈川奉行からのお達で、農業雇い人夫四十名募集中と聞き、三年の年季で月四両の給金とのことでしたので、応募した次第です」（『日本人出稼ぎ移民』)

明治政府は西欧列強と肩を並べるために無理な軍備増強を行い、国民の豊かさは顧みられなかった。一八八二年（明治一五年）頃の記録によると、国家財政に占める国債の利払いは全歳出の約三五％。そのしわ寄せを受けて、全歳入に占める地租の割合は約八〇％。つまり、貧乏な国家を極貧の農民が支えていたことになる。

これでは農民は生きていけない。各地で農民一揆が頻発し、それを静めるために政府は一時地租を地価の三％から二・五％と引き下げる。ところが物価の変動も激しく、折りからの不況対策として松方正義がデフレ政策を取った八四年には、米価が急激に下落し、ますます農民の生活を圧迫していった。

この時期だけで、土地を手放さざるを得なかった農民は約百万戸。幸いにして土地だけは守れた農民の中からも、長男以外の次男、三男、あるいは娘たちは、農村には働き口がなく、海外にでも出なければ生きていけない状況だった。農民の手記を見るように、移民とはほとんど自らを身売りすることと同義だった。

前田光世もまた東北の農家の出身。明治一〇年代から三〇年代にかけての日本の農民の窮状は熟知している。海外を歩くに当たって、移民たちの生活の細部に関心が高かったのも頷ける。メキシコの移民に出会ってその私信に書かれた「英語も喋れる、貯金もできる、服装も立派だ」という文面からは、前田自身の移民への関心の深さと成功者への驚きが感じられる。

排日意識に敏感だった「国士」前田

同時に「米国が我々を苛《いじ》めようとしてもお門違いだ」という記述にも見られるように、国を背負って歩いているという自負の高さから、移民を苦しめ日本人を排斥しようとする欧米人の排日意識にも敏感だった。

前田は書いている。

「(日本人柔道家が外国人拳闘家に東京で敗れたというニュースを聞いて) そうなると、外交無能で馬鹿にされながらも、戦争において世界一の強国民と畏《おそ》れられている日本人が、全くゼロな劣弱民扱いされて、海外に居留する同胞は一層侮辱されることになる。僕は微力ながらも、空拳を揮ってこの数年間、西インド諸島や中米付近に名を挙げたために、同地一帯の我が同胞は、僕があるために大いに肩身が広くなった功績は莫大なもので

ある」（大正三年五月〜六月発行『世界柔道武者修行通信』）

欧米社会において日本人排斥の事件が起き始めたのは、ハワイがアメリカに併合されたことに伴う一八九八年（明治三一年）前後の移民の上陸拒否あたりが端緒となる。約二千名を数える日本人移民が生活していたオーストラリアでも、同じ時期に、現地の賃金水準の約半額で働く日本人に対して現地人が反発し、各州議会で有色人種移民規制法が上程されるようになった。アメリカ合衆国でも、新渡戸稲造の『武士道』が知識階級の間でベストセラーになっていた明治三〇年代前半に、カリフォルニア州の労働者階級においては「日本人には部屋を貸さない」という排日の気運が盛り上がっている。

ここでも問題は、「日本人移民は低賃金で働き過ぎ、しかも食料品も日本から送らせて地元に金を落とさない」という理由だった。当時のアメリカで、味噌や醤油は手に入らない。移民たちとしては日本から食料等を輸入する以外に方法がなかったのだが、アメリカ人たちはそういう生活スタイルを閉鎖的ととらえ、日本人移民を社会の敵と思ったようだ。

こうした時代の空気が、「国士」を夢みる前田光世の感情を刺激しないわけがない。「負けられない」覚悟で臨んだ世界各地での公開勝負は、その地に生きる日本人移民たちの思いを代表したものと自覚していた。移民たちにとっても、突然現れた日本人柔道家が「大和」を名乗り、普段自分たちを蔑視する地元の力自慢たちを投げ飛ばしてくれるのだから、さぞ胸が躍《おど》ったに違いない。キューバで真鍋直さんや内藤五郎さんが「コンデさんの同胞だとわかると、地元の人たちは私たちを尊敬するようになった」と語ったように、前田が通った跡には前田に対する賞賛と日本人に対する敬意が残った。前田の通過後にキューバにやってきた直さんや五郎さんですから、その恩恵にあずかってその地に溶け込むことができた。四分の三世紀たってもその記憶が彼らの中にしっかりと残っていたことを考えると、前田の歩みは柔道の伝播というだけでなく、日本人の魂＝誇りの伝承でもあったことが納得できる。

日本人移民の受け入れ交渉

もちろん自分が通り過ぎた後のことは、前田には知るよしもない。むしろ前田は新しい街に辿り着くたびに、もっと日本人移民を受け入れてくれるところはないか。その条件はどの程度か、何人くらい受け入れる可能性があるのか等を、折々に調べている。後に前田はアマゾンの街レベンで私設領事と呼ばれるようになるのだが、すでに旅の途中でも、日本を背負った外交活動の真似事をしていた記録がある。サンサルバドルからの私信だ。

「(前田と佐竹の乱取りの実演に感動した大統領から招待を受けて) 僕はフロックコートで大統領と面会したら、非常に歓迎して、シャンペンなど出して互いに健康を祝した。大統領はその時、『自分は日本贔屓《びいき》で、大いに日本人の入国を歓迎する』とて、談は移民の事に及んだ。僕は、その方は門外漢であるし、移民植民のことについては、我が本国政府の方針計画もあるだろうと思ったが、聞き流しても詰まらないから『貴下は我が移民を幾人位許すか』と問うたら、自分は地面を沢山所有しているから、千人の家族は入国しても充分余地があるという。僕は『相当の条件付きなら、小生始めとして喜んで入国する。とにかく、在メキシコの公使へ報告しよう』と言って別れを告げようとしたら、陸軍へ一ヶ月柔道を教授してくれというのだ」(大正三年五月~六月発行『世界柔道武者修行通信』)

実はこうして日本人移民のことを気にしているのは、前田だけに限らない。前出の『アフリカに渡った日本人』によると、前田よりも早く一九〇一年(明治三四年)に日本を発ち、六年かけて世界五大陸を無銭旅行した愛知県出身の冒険家・中村直吉《なかむらなおきち》もまた、旅の途中で立ち寄った南アフリカのヨハネスブルグの金山で、日本人労働者の受け入れについて鉱山主と意見を交わしている。

当時、政府の命令でシンガポール領事館から南アフリカに出張し、そこでの移民の可能性の調査に当たった久水三郎領事は、ヨハネスブルグでの移民の受け入れについて「絶望的」という答えを日本に送っていた。それを知って「日本人排斥か」と憤《いきどお》った中村が直接鉱山主と交渉すると、意外にも「その用意あり」と言う。その条件は当初、「労賃は一日につき白人の四分の一の五シリング」だった。そこで中村はさらに鉱山主と交渉を重ね、「住宅付き一日六シリング、往復の渡航費は鉱山主負担」という成果を勝ち取った。

もちろん、前田も中村も移民について何か権限を持っていたり、日本の担当者とのパイプがあったわけではない。いずれも話はここで終わってから、それにしても、二人の若者が同じ時期に同じように遠い異国の地で、あたかも国を代表するかのように移民受け入れ交渉を行っている。当時の若者の国に対する意識の高さと、日本人にとっての移民事業の重さが伝わってくる。

居留地を訪ね歩き

こうした歩みを経て、まだは一九一四年（大正三年）、中南米からブラジルのサントス港に入る。すでに日本を発って約十年。年齢も三十代の半ばを超え、この頃になると「柔道を世界に広める」という旅の当初の意識とは別の思いが脳裏を占めるようになっていた。

それは、ここに見てきたように、当時日本の将来を左右する最大の課題、「移民事業」だった。

前田は後に、友人佐渡亮造への手紙の中で書いている。

「そもそも小生（コンデ・コマ）の武者修行の思い立ちは、排日問題に憤慨して、どこかに、我が民族発展の地を見出さんとしたのが動機です」

前田の足取りを辿ると、その旅の前半はアメリカを振出しに、イギリス、ベルギー、スペイン等のヨーロッパ諸国＝先進国を回っているが、後半からはキューバを振出しに、メキシコ、グアテマラ、サルバドル、コスタリカ、パナマ、ペルー、チリといった中南米大陸を巡回している。そこはすでに日本からの移民が入り込んでいた所であり、かつ、北米やヨーロッパに比べれば未開の地が広がる「可能性」の大地だった。

前田は後に友人に書いている。

「当時北米の排日熱激しく、カリフォルニア州における同胞の如きはかなり迫害さると伝聞し、排日する所には行くな。必ず中南米どこかに我々を歓迎し安住しうる地あらんと思い立ち、キューバを出発したる……（後略）」

前田は、特に中南米においては足を棒にして各地に点在する日本人移民の居留地を訪ね、その開拓事業の現状と苦労をつぶさに観察し、ますます日本人の将来の発展の地の必要性を感じるようになっていた。

さらに、欧米人の日本人への意識が微妙に変わってきているのも肌で感じていた。前田が最初にニューヨークに降り立った頃、日本人は日露戦争に勝利した「奇跡の国民」だった。だが、前述したように、その直後、ルーズベルト大統領がその息子に託した手紙は、排日の兆しだった。国力の伸長が西欧列強の脅威になり、次第に日本という国は敵視されるようになった。庶民のレベルでも排日意識が強まり、欧米で暮らす日本人移民たちは肩身の狭い思いをしなければならなくなっていた。

――このままではいけない。すでに米英圏は排日感情で一杯だ。世界のどこかに我が民族が生きていく場所を探さなければ。その最適地はどこなのか――。

「国士」たることを理想とした前田の胸は、その思いで一杯だった。それは前田にとって初めて意識した、柔道とは別の第二の夢だった。

アマゾン最強の勇者を決める大会に飛び入り優勝

そんなある日。サンパウロを皮切りにリオ、ミナス、バイア、パライーバ、リオグランデ、セアラ、マラニャンと、ブラジルの東海岸沿いの各州を北上していた前田の目の前に、これまでに見たこともないような魅力的な土地が現れた。溢れる自然。肥沃《ひよく》な大地。しかもそれだけでなく、そこにはコスモポリタンとしての前田を刺激するものがあった。

時は一九一五年（大正四年）、場所はアマゾン川河口の街ベレン。

その日、街の通りにはフェレイラ（市場）が立ち並び、シルコ（サーカス）が子供たちの人気を集めて「入植三百年祭」が賑やかに行われていた。

祭りにうかれる人々の最大の関心は、「アマゾン一の勇者」を決めるルッタ・リブレの試合にあった。ボクサーでもレスラーでもいい。大男たちが力と力をぶつけあう格闘技戦に人々はいくばくかのお金を賭けて、贔屓の男を応援する。

その試合に飛入りで挑戦してきたのが、小柄な日本人柔道家だった。しかも見たこともないような技を駆使して、苦もなくブラジル人の大男たちを破っていく。やがて見事に優勝した男は、自らを「コンデ・コマ」と名乗った。審判が彼の右手を高らかに上げると、観衆はどっと沸いた。すでにアマゾンでも、その名前だけはキューバやメキシコ辺りから鳴り響いていた。それがアマゾンと前田光世の出会いとなった。

もちろん、それだけであれば、前田がそれまでに戦い歩いてきた世界の街での出来事と変わらない。公開勝負に出場し、相手を倒し、賞金や出場料を貰ってまた去っていく。そんなことの繰り返しがこの頃の前田の旅だった。

ところがアマゾンの地には、他とは違って前田の心をとらえる魅力が満ちていた。

一つは、日本人への差別意識がなかったこと。なぜなら日本人を見たことのない人がほとんどで、伝わっていたのは日露戦争勝利からくる日本人への賞賛だけだった。

二つには、日本の何十倍もあるアマゾンの未開の大地が広がっていたこと。サンパウロやリオデジャネイロで聞いていた「アマゾンは人が住むところではない」「密林には猛獣がうようよしている」といった風聞は事実とは異なり、赤道直下とはいえ、カラリとした気候で木陰は涼しく暮らしやすかった。

何よりも前田を魅了してやまなかったのは、その街には堂々としたオペラハウスが建ち、黒煙をあげて蒸気機関車が走り、イギリスのリバプール行きの定期船が港に停泊し、人々の生活スタイルにもどこかヨーロッパの香りが感じられたことだった。

その秘密は、アマゾンの密林に自生するセリンゲーラから採れる天然ゴムにあった。一九一一年頃をピークとして、アマゾンには「黒い黄金」と呼ばれた天然ゴムを求めて、ヨーロッパから大量の人と金、そしてモノ＝文明が流れ込んでいた。アマゾン川河口の街、ベレンにオペラハウスが登場したのは一八七二年。直後には、上流のマナウスでもイタリアで設計されたオペラハウスが建てられている。ゴムの採集基地だったマナウスでは当時、黄昏《たそがれ》時になるとフランスからやってきた娼婦が街を徘徊《はいかい》し、チップは金貨、風呂は牛乳、シャンパンの消費量はパリに次いで世界で二位だった。

かつて前田は日本の友人に宛てて、「世界を歩くならばパリやロンドンは後にしろ。その他の土地に行きたくなくなる」という意味のことを書き送っている。世界を歩いた前田には、それほどヨーロッパ文明は魅力的に映った。しかし残念ながら、すでにヨーロッパには日本人が移住する余地はなく、排日の気運すら漂っていた。ところがアマゾンに来てみると、未開の大地とヨーロッパ文明の両方が揃っているではないか。

しかも決定的なことは、そこにはまだ日本人の姿が見当たらないことだった。ここならば一から自分の理想の大地を建設できる。ここここそ、国士たる自分の夢を具現化できる「可能性」の大地だ。

前田はこの時筆を執り、興奮した口調で日本の友人にしたためている。

「我が民族発展の地は、このアマゾニアなりと、死ぬまで叫びましょう」

その言葉こそが、「死」に至るまでの後半生を賭けた、前田光世の新しい戦いへの狼煙《のろし》となった。

六章

伯剌西爾《ブラジル》

一九二六「民族発展の地」

アマゾン調査団

一九二六年（大正一五年）、五月一三日夜半。アマゾン川河口の街、ブラジル・パラー州ベレン。いつもならば日没とともに人気がひいていくはずのその港は、この日に限っては夜の闇の中に明かりが灯り、時ならぬスーツ姿の一団で賑わっていた。闇に霞んだ沖合には、ニューヨークから辿り着いたばかりの三千トンの英国籍の客船が停泊している。そこからランチ（艀《はしけ》）に乗り換えて、何人かの男たちが波止場に向かって来るのが見える。

魚市場が併設された波止場では、日本人二人と何人かのブラジル人が、闇の中で次第に大きくなるランチの姿を凝視していた。

この時、ベレンの波止場に降り立ったのは、日本政府と時のトップ企業鐘淵《かねがふち》紡績株式会社を中心に作られた第一回アマゾン調査団の面々、九名だった。団長としてアマゾンに最初の一歩を印したのは、スラリとした長身に日本人離れした目鼻立ちの鐘紡取締役、福《ふく》原八郎《はらはちろう》だ。

一方、波止場で一行を出迎えて最初に福島に右手を差し出したのは、リオデジャネイロからやって来ていた、時のブラジル大使・田付七太《たつけしちた》。その隣では、小柄な身体を真っ白なスーツに包んだ男がにこやかな笑顔を見せていた。

「私がコンデ・コマこと、前田光世です。早稲田出身の柔道家です。そしてこちらは、パラー州総務長官、メンドサ氏です」

福原が差し出す右手を分厚い手で握りかえしたのは、この地にすでに約十年間根を張り、地元民の間ではコンデ・コマとしてすっかり名の通っていた前田光世だった。前田はまず福原に型通りの挨拶をすると、隣に居並ぶパラー州の要人たちを次々に紹介していった。

福原たち一行は、前田の人懐こい笑顔を見て、旅の疲れも吹き飛ぶような安心感に包まれた。アマゾンといえば、日本から見ると地球の裏側であり、地の果てのイメージが強い。しかも福原たちは、旅の途中でニューヨークに立ち寄り、アマゾンの気候風土や一九世紀に欧米の大資本が入植や開拓に失敗した事例を調べ、そこには過酷な状況を予想していた。

――けれどアマゾンに行けば、前田光世という現地に溶け込んだ民間人がいる。前田さんに頼めば、調査も順調に進むに違いない。

調査団の中には、三年前に政府から単身で調査員としてアマゾンへ派遣された経験を持つ芹沢安平が含まれていた。芹沢はその時前田の世話になり、すでに親しい間柄になっていた。ベレンの港での再会は、芹沢にとっても嬉しいものだった。

そもそも彼らがアマゾンに出かけていったのは、その前年、ブラジルの田付大使から日本に、「アマゾンのパラー州州統領が日本人移民のために、五十万町歩の土地の選択権を向こう一年間与えると言っている」との連絡が入ったことがきっかけだった。

ちょうどこの頃、新しくパラー州の州統領に着任することになったディオニジオ・ベンテスは、南ブラジルのサンパウロやリオデジャネイロ一帯に入植した日本人移民たちの活躍を評価し、アマゾン開拓も日本人移民の手でと考えていた。

当時ブラジルでは、一八八八年（明治二一年）に奴隷制度が廃止され、極端な労働力不足にみまわれていた。折しもサンパウロ州におけるコーヒー生産は最盛期にあり、当初はヨーロッパからの出稼ぎ移民でそれを凌ごうとしたが、世界的な需要はさらなるコーヒー豆の増産を迫ってきた。一八九二年（明治二五年）、ブラジル政府はそれまでヨーロッパ諸国にしか門戸を開いていなかった移民法を改正し、「労働に適する清国及日本の移住民をして自由に我が共和国版図《はんと》に来ることを許す」として、アジア人移民の導入を定めている。

こうした状況を受けて、日本の皇国殖民会社が仲立ちとなり、「笠戸丸」に乗った最初の日本人移民がサントス港に降り立ったのは一九〇八年（明治四一年）六月一六日。当初、移民を斡旋《あっせん》する日本の移民会社はサンパウロ州政府と契約を結び、移民たちの渡航費の一部として一人につき百円を州政府から受け取っている。続いて一〇年、一二年と移民の送り出しが続き、一四年（大正三年）までに一万四千八百八十六名が日本からブラジルに渡り、サンパウロ周辺のコーヒー農場に入っている。

さらにこの状況に拍車がかかったのは、一九一四年七月に勃発した第一次世界大戦だった。戦場となったヨーロッパ諸国からは、通常ならばブラジルには年間約十九万人が出稼ぎに来ていた。ところが戦争の影響でこれが八万人余りに落ち込み、日本人移民の需要はさらに高まった。一九一七年からの四年間で、一万三千四百名余りが新たにブラジルを目指している。

彼らは、決して労働条件が整っているとは言い難いブラジルで、実によく働いた。ブラジル人ですら顧みない荒れ地に鍬を入れ、ジャガイモやトウモロコシ等の品種改良においては、ブラジル人よりも数段秀《ひい》でた実績を残した。逆にこのことがアダとなって、「アジア人労働者がこれ以上増えると賃金が低下してヨーロッパからの労働力が見込めなくなる」という論調が盛り上がり、一九二〇年代初頭には、ブラジル連邦下院を舞台に排日論と親日論が激しく対立している。

その中にあって、ディオニジオ・ベンテスは親日論を唱えていた。そもそもブラジル人にとっても、アマゾンはおよそ開拓には不適切な僻地《へきち》だった。一九世紀末から二〇世紀初頭にかけては「黒い黄金」と呼ばれた天然ゴムの好景気があり、マナウスやベレンを中心に華やかな時代があった。だがすでにこの時代、ゴムの産地は東南アジアに移ってしまっている。当時の活況を取り戻すには、地道に山林を切り開くしか残された手はない。その「可能性の大地」に鍬を入れるには、勤勉な日本人の力を借りるのがいいだろう。ベンテスのその思いが形となって、田付大使に対する「日本人への五十万町歩の土地提供」という書簡になった。

日本とアマゾンの赤い糸

一方田付大使にとっても、それは願ってもない話だった。すでに田付は一九二三年（大正一二年）、前パラー州州統領エミリアーノ・カストロの時代からアマゾンへの日本人移民入植の要請を受けていた。この年、日本には関東大震災が起きている。日本政府は被災者救済のために、援助金を出して海外へ出稼ぎに出る農民を募っていた。ところが移民の候補地の一つブラジル・サンパウロ州では排日対親日の論争の真っ只中で、思うように移民を受け入れることができない状況にあった。可能性があるとすればアマゾンだ。

その思いから、田付は一九二四年（大正一三年）には野田良治《のだりようじ》書記官と森本海軍武官の二名をアマゾン視察に派遣して、その可能性を調べている。さらに日本政府も移民渡航地確保のために、外務省を通して前述の芹沢安平農学士をアマゾンに派遣した。

アマゾンの日系人組織「汎アマゾニア日伯協会」が編集した『アマゾン　日本人による60年の移住史』（一九九四年発行）によると、一九二三年の段階でアマゾンに調査にやってきた芹沢は、現地でコンデ・コマ＝前田光世と出会い、アマゾン支流のカッピン川流域の調査に当たり、前田の世話によって無事任務を果たしたという記述がある。この時州統領のベンテスは自ら芹沢を案内し、カッピン川流域に一家族二十五ヘクタール、二万家族分の計五十万ヘクタールの土地の選択権を向こう一年間与えることを芹沢に約束した。

その約束が書簡としてリオデジャネイロにいる田付に届けられ、田付がさっそくこの知らせを日本の幣原喜重郎《しではらきじゆうろう》外務大臣に送ったことで、日本とアマゾンの間に「赤い糸」が結ばれることになった。

日本にとって、それは間違いなく朗報のはずだった。ところが折り悪く、関東大震災で疲弊《ひへい》した当時の政府には、アマゾンを調査するための予算的な余裕がなかった。かといって、サンパウロ州よりも遥かに厳しい環境が予想されるアマゾンに、いきなり移民を送り込むわけにもいかない。

そこで白羽の矢が立ったのは、当時隆盛を誇っていた企業・鐘淵紡績だった。社長の武《む》藤山治《とうさんじ》は若い頃にアメリカを放浪した経験があり、すでに海外移民論を著すほどの論客だった。結局武藤は株主総会の承認を得た上で、アマゾン調査費として八万円を出資することを決め、一九二六年（大正一五年）の福原を団長とする調査団の誕生になった。

ところが福原はベレンに着いてから、自分たちの調査団が派遣されることになった経過の認識に、若干の不足があったことを知る。到着後ほどなくして前田と語らっていた時に、それまで知らなかった事実が明らかになった。

前田は福原にこう言った。

「アマゾンは私の人生のゴールだと思っています。ここは赤道直下ですが、乾期はサッパリしているし、雨期も涼しくて過ごしやすい気候です。しかもこれだけの大地に、人口はわずか八十万人しかいません。この大地こそ日本人移民の最適地と考えて、州統領と相談の上で、日本人移民のための土地のことを田付大使に相談したのです」

つまり、福原が遥かアマゾンにまで足を運ぶことになったのは、ブラジル国内の移民需要からの要請だけでなく、この柔道家、前田光世の発案もまた大きなきっかけだったのだ。

この時福原一行は、日本を発ってまずニューヨークへ向かい、一九世紀末期にイギリスがアマゾンへの植民地建設を試みた当時の資料が豊富に揃っていた図書館に約一ヶ月通って、アマゾンの地質、気候、水利、鉱物、生産物、熱帯病等、あらゆることについて徹底的に研究している。

九名の団員もまた、各界からの選りすぐりだった。福原の他、東大教授医学博士・石原喜久太郎、内務省防疫官・飯村保三、内務省土木測量技師・谷口八郎、田村義正、同助手・水村松栄《まつえ》、山林技師・石原清逸《きよいつ》、農学士・芹沢安平、団長秘書・太田庄之助といった農業、鉱業、土木、医学の専門家が揃っている。

アマゾンでの調査において、福原たちの目的は、はたして日本人農民たちがこの地で本当に生活が可能で適当な農作物の収穫を上げられるのかという、初歩的な疑問の解決にあった。現地に来てみると、文献だけでは理解できなかった難問・疑問が次々と目の前に現れてきた。現状を踏まえた上で、適作は何なのか、気候はどうなのか、風土病や食物に関してはどうなのか、調査の課題は次々に広がっていった。

その福原たちの要望にあわせて、前田は一行の先頭に立ってパラー州の関係者に引き合わせ、双方の言い分を擦り合わせながらさまざまな問題・疑問を解決していった。福原も、前田の発意がこの調査団誕生のきっかけとなったことを知って以来、何くれとなく前田に相談するようになった。そのつどポンと自分の胸を打ち、的確な判断と驚くほど広い人脈を披露する前田という人物に「兄弟同様の親交を結んだ」と後に記している。

カルロス・グレイシーとの出会い

前田光世にとって、アメリカ、ヨーロッパ、中南米を経てベレンに辿り着いてからの十年間は、生涯の目標を「柔道」から「開拓」に切り替えるための時間だった。

初めてこの街に入り、ルッタ・リブレの大会に飛入りして優勝を飾って以来、州統領や町の要人との親交は次第に深くなっていた。初期の頃は千六百キロ上流のマナウスにも頻繁に出かけ、公開勝負や柔道の講演も数多くこなしていた。コンデ・コマの名は、ベレンだけでなく、アマゾン全域ですっかり有名だった。途中一九二一年（大正一〇年）には、メキシコとキューバから招かれて、途中、ニューヨークにも立ち寄って、再びカリブ海周辺の国々を一周している。キューバで「バガ・ゴルダ」の掉尾《とうび》に触れたのはこの時のことだ。

後の記録によると、前田はこの頃フランス名誉領事の娘、オルガという女性と結婚している。日本の戸籍にはその記載はないので、正確には同棲ということになる。二人の間には子供もいた。ところが彼女と子供が、わずか二年後に相次いで病死してしまう。キューバに出かけたのはその後のことで、そのまま日本へ向かわずに再びアマゾンに舞い戻ってきた理由の一つは、ベレンに残るオルガと子供の墓を守るためだったとも言われている。一九二九年（昭和四年）に発行された古屋敏恵著『神秘境　大アマゾンを探る』の中には、著者と前田が揃って二人の墓前を訪問したことが記されている。

キューバへの三度目の旅から戻った前田は、すぐにスコットランド生まれの看護婦、デイジー・メイ・イリスと再婚（入籍）。ほどなくしてセレステという名の養女をもらい、市内のゼネラリシモ・デオドロ街に家を買って家庭を持った。時に四十四歳。オルガとの生活を含めて、それまで絶えず旅を繰り返す生活だったことを考えると、それが日本を発ってから初めて持った、「家庭」という名の安らぎの場所だった。

キューバに出かける前までは連日道場にも出て、弟子たちに稽古をつけていた。また一般家庭にマッサージ師としても出入りし、プロフェッソール・コンデ・コマという名で人気だった。アマゾンを訪ねてくるルッタ・リブレの選手がいれば、公開勝負も頻繁に行って賞金も稼いでいた。道場では多くの生徒を持ち、後にグレイシー柔術を開くことになるカルロス・グレイシーに教えていたのもこの時期だ。大学や警察、海軍基地にも頻繁に出かけ、ブラジル人たちの師範として、実践的な護身術を伝授した。

しかし二二年に再びベレンに戻ってからは、年齢のこともあったのだろう、道場での指導は続けていたが公開勝負からは身を引くようになった。いよいよ移民事業が前田の「勝負」になったのだ。

抑えがたい望郷の念

ここで一つの疑問がある。日本を発ってすぐに二十年。はたして前田には、望郷の念というものはなかったのだろうか。

まだアマゾンと出会う前、旅の空にあった頃の前田の手記には、しばしば日本への思いや日本へ帰国した後の希望等が書かれている。明治四三年八月一日発行の『冒険世界』には、こんな手記が掲載されている。

「外国の相撲も確かに研究の価値があると信じるから、帰朝したらこの相撲で一つ他流試合を申し込む決心だ。講道館の連中に言っておくが、その時になってそんな相撲は知らないから御免だなどと逃げられては困る。嘉納師範閣下にも前もってご通知申し上げておくつもりだ。

外国人はこんなことには感心で、オイソレとすぐ試合をやる。帰朝の際は力士二人、拳闘家一人を同道する予定だ。それまでに負けないように、充分研究しておいてもらいたいものだ」

「(押川春浪に対して)足下も近来ますます元気のようだ。相変わらず蛮勇を奮《ふる》うかね。是非一つ写真を送って戴きたい。我輩のは首府に帰着次第直ちに進上する。

退屈で困るから何か雑誌でも送ってくれると大いに幸せだ。

退屈だと言えば、畳の上で胡座《あぐら》をかき日本の酒で一杯のみたいものだと思うことがある。日本人にはやはり全て日本のものがなくてはいけないような気がする。自動車で引っ張り回されて、コップ酒のご馳走は御免だ。そんなことにはもう飽き飽きした」

アマゾンの大地に出会う前までは、前田はメキシコから中南米を回り、ブラジル国内を北上して再びメキシコに抜け、そこからアメリカを通って日本へ帰るつもりだった。同じく『冒険世界』の明治四三年三月五日号には、メキシコ在住の「煙波生」という筆者によるこんな記事も見られる。

「前田君がメキシコへ渡ってから、早半年になる。その間、あまたの異邦人と戦ったが、一度も敗を取らず、今ではコンデ・コマ、前田伯爵でどこへ行っても優待される。（中略）なお前田君は、この次は南米へ渡ってみるという。すると順に（世界を）一回り済むから、帰国するつもりだとの事。その前に、招きに応じて一ヶ月ばかり、メキシコとキューバの中間に当たるミリダへ渡るという」

ベレンに定住を始めてからも、前田は毎週土曜日を日本食の日と定め、移住してきた若者や友人たちを招いて食事会を開いている。サンパウロからの定期船が波止場に着くと、日本から送られてきた豆腐や納豆を仕入れるのが楽しみだった。いかに歴戦の王者、前田光世とて、日本への望郷の念が募らなかったはずがない。手記からは、抑えがたい故郷への思いが切々と伝わってくる。

私設領事として移民のサポート

ところが前田の気持ちは、アマゾンとの出会いによって変わっていく。時代は下るが、一九三五年（昭和一〇年）、故郷に残る友人、工藤十三雄（当時衆議院議員。鉄道政務次官、政友会総務等を歴任）に宛てた手紙には、その頃の心境の変化がこう書かれている。

「一日、当地よりアマゾン大江を逆航し、隣州アマゾナスの首府マナオス（約一千里）に向いたる時、行けども行けども人家稀にして、洋々たる水と茫漠《ぼうばく》たる森林のみ眺めて、ここそ神は我ら大和民族のために残してくれたる世界中ただ一つの発展安住の地たるべしと深く印象づけられ、また小生をしてここまで引き込みたるは全く神の力に勝るものと信じ、当地に腰を落ち着け柔道を旗印として、日本及び日本人を紹介する一方、また微力ながら当地をば故国日本へも紹介するに努めたるものに候」

この手紙の中には、三度目のキューバ訪問からベレンに再び戻った理由も書かれている。

「大正一〇年キューバ、メキシコよりの招きに応じ、三度当地よりニューヨークを経由、両国に滞在すること約一ヶ年。両国においては馴染み多きだけに親友の人々より是非にと永住を勧められ、キューバ如きは終身、グワンダ・ナショナル（憲兵隊）の教師に任ずべしとて、その経費を議会に提出するまでに至りしも、アマゾン河を遡りたる時の印象は念頭を去らず、また民族発展のため、その柱石となりて骨を埋むるは神の使命なるべしとの小生の信念は遂に知人のせっかくの親切を振り切らしめ、またまた古巣の当地に戻らしめたる所以《ゆえん》に候」

アマゾンという理想の大地と出会ってしまった以上、ここで移民開拓事業を成し遂げずして日本に帰るわけにはいかない。国士たると任じた自分の使命は、ここアマゾンでこそ全うされなければならない。前田は繰り返し自分にそう言い聞かせながら、アマゾンへの日本人移民の呼び寄せに奔走し、ベレンでは、やってくる移住者たちのために私設領事の役割に徹しようとした。

ベレンでの前田を知る人物

その頃の前田の働きぶりを知る人が、取材当時の東京に生きていた。約九十年前、地球の反対側の地アマゾンで、理想郷創りに燃える前田光世＝コンデ・コマに出会ったことのある人と、東京で会うことができた。

高木《たかき》秀寛《ひでひろ》さん、九十歳（取材当時）。一九二七年（昭和二年）頃、高木さんはイギリスからマナウスへ向かう船によるアマゾン・クルーズに参加し、その途中、ベレンの波止場で前田光世と出会い、彼の家で歓待されたことがある。

「歓待されたなんてもんじゃありませんよ。前田さんはあらかじめ乗船名簿で私と友人の稲葉がその船に乗っていることを調べたんでしょうね。ベレンに着いたら一面識もないのにいきなり船に上がって来られて、ここに高木君と稲葉君はいるかって日本語で訊ねられたんです。びっくりしました」

驚いたのはこちらも同様だ。東京の街で、こんな証言が得られるとは思ってもみなかった。高木さんは六本木で設計事務所を開き、取材当時は現役で活躍されていた。その二代前の祖先は薩摩藩出身の海軍軍医として脚気《かっけ》の予防法を確立し、後年、現在の東京慈恵会医科大学附属病院を創立した高木兼寛《かねひろ》。一八七五年（明治八年）にイギリスに留学した祖父に倣い、高木さんも一九二三年（大正一二年）、関東大震災の年の暮れにイギリスのケンブリッジ大学に留学した。

この時学友となった、稲葉正凱《まさよし》さん（元貴族院議員）とともにアマゾンを訪ねたのは在学中の夏休み。「アマゾン千マイル・クルーズ」といったような名前のツアーだったと、高木さんは記憶している。

このツアーは、イギリス人観光客三十～四十名とともに大西洋を渡ってアマゾン川を遡り、マナウスまで行って帰ってくるという行程だった。イギリスではごく一般的な人たちが参加するツアーだったという。当時のヨーロッパとアマゾンの結びつきの深さを示す事実でもある。

「ベレンの港に停泊中の船の中で突然高木君と稲葉君はいますかと名前を呼ばれて、驚いて、はい、私たちですと言いましたら、前田さんがニコニコしていらっしゃるんです。そうしたら、家にいらっしゃい、お話ししましょうと言われて。こちらはまさかアマゾンで日本人に声をかけられるとは思っていませんでしたから、それはありがとうございますと言いました。それで上陸してお供することになりました。なにしろ優しそうな人でしたよ。胸板は確かに厚かったですが、そんなに強い方だとは、その時は知りませんでした」

その時、前田はコンデ・コマとは言わず「前田です」と名乗った。二人がケンブリッジから来たと聞いて、自分のことを話すよりも、むしろイギリスのことをしきりに聞かれた記憶があるという。前田自身、一九〇七年から〇八年にかけて約半年を過ごしたイギリス時代を思い出して懐かしく思ったのだろう。

話題は途中で柔道の話になった。前田が自分から「私はベレンで柔道を教えています」と切り出した。

高木さんが言う。

「私も中学は高等師範の付属中学を出ましたから、中学時代は柔道の強い人がたくさんいました。嘉納（治五郎）師範にも直接お会いしたことがあります。そのことをお話ししたら、前田さんがとても喜んだ記憶があります。自分も講道館の者ですと仰《おっしゃ》って。私が、付属中学の卒業式の時、嘉納師範が証書を読み上げる前に少し足を開いて立って読んだという記憶を話したんです。その姿勢は、大地震がきても暴漢に襲われても安全な姿勢だと、師範が仰ったことを覚えていたものですから。そうしたら前田さんは、それは武道の自然体ですよと仰った。そのことは鮮明に覚えています」

さらに高木さんが驚いたことがある。前田の家を辞して、再び船に乗り込んで最終目的地マナウスに到着した時のこと。船を降りると何やら人だかりがしていて、マナウス市長自らが波止場まで出迎えに来ていた。船の中に誰か子爵か侯爵でも乗っていたのかと二人で驚いていると、隣の稲葉さんが係員に手を引かれていく。訳を聞くと、「日本からやってきた殿様の末裔《まつえい》、稲葉様の歓迎会を行う」という。そんな出自は誰にも言っていないのに、すでに市の公会堂には歓迎会の用意がしてあり、市長から稲葉さんに歓迎の記念品が手渡された。

「確かに稲葉君は京都の淀の殿様の末裔でした。日本での位は子爵ですから、サインをする時に『バイカウント（VISCOUNT）・イナバ』と書くでしょう。前田さんがそれに気づいていろいろ訊ねていらしたように記憶しています。私たちの船がマナウスに到着する前に、たぶん前田さんが関係者に連絡してくださったのでしょう。愉快だったのは、その時の様子が新聞に出たんですが、日本の殿様が随員一人を伴ってマナウスに来たと書かれていたんです。私は随員にされてしまったんです」

そう言って高木さんは愉快そうに笑った。

誰からも慕われた温厚実直な人柄

この頃前田は、すでにアマゾンの政財界では幅広い交友を誇っていた。当時のベレンの社交場の写真を見ても、純白のスーツやタキシードを粋に着こなしてパーティーに参加する前田の姿が写っている。マナウスでも公開勝負を行っていたのだから、そこでもコンデ・コマの名は有名だったはずだ。稲葉さんへの歓迎も、私設領事としての仕事の一つと思ったのだろう。

ベレンの港に着いた時、予告もなく前田の出迎えを受けた人は多い。福原八郎や高木さんたちに限らず、一九三〇年（昭和五年）八月、第二次アマゾン調査団としてここを訪ねた衆議院議員・上塚司もまた、後に書いている。

「その時埠頭へ迎えてくれた多数の日本人の中で、ガッチリした元気溌剌《はつらつ》たる同君（前田光世）の姿は、すぐにもそれと見分けられるほど目立っていた」

当時はまだ、飛行機による航路は開設されていなかった。アマゾンを訪ねる人は必ず河口の街ベレンに立ち寄り、国際航路を航行する大型船に乗ってきた乗客はここで小型船に乗り換えて、上流のマナウスに向かうのが常だった。その乗船名簿を確認し、日本人の名があると知ると港まで出かけていくのが前田の日課だった。それは私設領事としての使命だけでなく、前田にとっては、懐かしい日本の風を感じることができる貴重なチャンスでもあったはずだ。

上塚もこの時、パラー州政府要人やポール・ル・コアン博士等、さまざまな人を前田に紹介されている。すでに最初の移民が入っていたパラー州の奥地アカラにも、アマゾンの支流を船で二十四時間かけて前田とともに出向いた。上塚の手記はこう続いている。

「またある日の如きは私を主賓として、一行の幹部を自宅に招待し、夫人の手になる珍しいご馳走で一行を喜ばせてもらったりした。そんな訳で、ベレン滞在は数日に過ぎなかったが、前田君一家と私とは十年の知己の如き間柄となり……（後略）」

ベレンで前田に出会った誰もが、初体面でも懐かしい友人と出会ったような気になって一時を過ごしている。前田もまた、アマゾンを訪ねてくる同胞とは誰彼の区別なく親しく口をきき、深い交わりを結ぼうとしている。こうした一つ一つの細かなエピソードからも、誰からも慕われ、温厚実直な人と言われた前田の人柄が偲ばれる。

残念な入植地の調査結果

アマゾンに入った福原たち第一回調査団の一行は、ベレンで前田と田付大使に随行していた農事部技師・江越伸胤《えごしのぶたね》、鐘紡派遣の留学生・仲野秀夫の三名を加え、総勢十二名となってアマゾンの密林に分け入って行った。当初その目標は、芹沢とベンテスが決めたカッピン川流域を入植地の候補として調査を開始したが、三週間にわたる調査の結果、そこは日本人には不適という結論に至った。

①土地の起伏が多く、まとまった平野が少ない
②至る所に湿地が散在し、マラリアの病原が濃密
③河流の屈折が多く、その上浅瀬のために交通が不便
④地質は沖積層よりなり、土壌の質は粘土砂質土、農耕に適する肥沃な部分が少ない
というのがその理由だった。

その結果を持って福原は州統領と面談し、「それならば州内の官有地であればどこでも差し支えない」という言質を得る。一行はさらに二班に分かれて別の地域を調査し、アカラ川本流とその支流の間の土地が肥沃であることを突き止める。団員一同協議の末、カッピン川から約五十キロ西のアカラを移住地候補として州統領に上申。交渉の過程で五十万町歩の提供という話が二倍の百万町歩に広げられ、アカラだけでなくパラー州内数ヶ所にわたる土地の無償提供の約束を取りつけて、日本に戻って行った。

福原は、東京に帰着すると「アカラ無償提供土地植民地経営計画案」を外務省に提出した。政府はこの報告を受けて、一九二八年（昭和三年）に首相兼外相の田中義一《たなかぎいち》が東西の有力実業家六十名を外務大臣官邸に招集し、自ら進行役となってアマゾン移住についての懇談会を開いた。その場で財界の重鎮・渋沢栄一《しぶさわえいいち》が十二名の進行委員を推薦。四月二〇日、二回目の進行委員会の席上、鐘紡の一千万円の出資による南米拓殖株式会社（以下、南拓）の設置が決まっている。この決定によって、アマゾン開拓の事業は、すでに二十代の頃に海外移民論を著していた鐘紡社長、武藤山治がイニシアチブを握ることになった。

一方この頃、田付に代わってスイスよりブラジル大使に着任した有吉明は、アマゾン地域の親日ムードを考慮して、以下のような電文を本省に打電している。

「万が一にも福原などの計画の実現せざる場合には、失望の結果その反動として排日の風潮同地方に起こり、将来同地方の（日系）企業を困難にならしむるはもちろん、他の地方にも影響するにいたる危険少なからず……」

アマゾンへの入植の動向如何では、すでに日本人移民が定住して生活を営んでいる南ブラジルにも大きな影響を与えかねないという、脅しにも似た内容だ。

こうした背景の中で、一九二八年八月一一日、南拓の創立総会が開かれた。この時、鐘紡取締役で調査団団長でもあった福原が新会社の社長になり、武藤の秘書を秘めていた後の労働大臣、千葉三郎《ちばさぶろう》も取締役として名を連ねている。

千葉は後に『わが生涯のメモ』と副題がついた回顧録を纏《まと》めている。その中で、当時の日本の政財界の状況を「南米熱の勃興」と題してこう記している。

「私は、村井保固《やすかた》、田付大使等にたびたびお目にかかり、夜は妻と共にブラジル語の講習に出かけた。（中略）当時は、南米熱が勃興して上塚司は登戸に拓殖学校を作り、沢柳猛雄はアマゾン協会を作って進出することになり、海外興業の井上雅二社長は各地でブラジル事情の講演をした。（中略）八月二三日、福原社長は新井、五反田、友田の三人を伴いアリゾナ丸で出航した。こえて一〇月には松岡冬樹等の医師団も出発し、私も南米に新しい日本建設の夢を描いた」

この時、新会社の株式総数二十万株のうち、一万株が公募に回された。そこに二日間で二十八万株の申し込みがあった。これは当時の日本人の海外移民熱の高さと「新しい日本建設の夢」の大きさを示した数字とも取れるが、それと同時に、株式の発売前に立ったある噂もこの熱を煽る結果となった。

——百万町歩という土地が無償で手に入るのだから、万が一事業に失敗してもそれを売れば莫大な配当金が期待できるはず。
国土の狭い日本の土地の感覚を、そのままアマゾンにも当てはめて株価を計算した結果だった。

だがすでに移住が進んでいたブラジル南部のリオデジャネイロやサンパウロ周辺の日系人社会は、この計画に冷淡だった。「アマゾンに移住するのは人間を捨てに行くようなもの」「アマゾン開拓は時期尚早」と、誰もが口を揃えた。同じブラジル国内といえども、現在のように飛行機やバスといった交通手段を持たない当時の彼らにしてみれば、アマゾンはあまりに遠い所であり、ジャングルと猛獣のイメージしかない。仮にアマゾンに人気が集まってしまうと、自分たちが苦労して切り開いた南部の入植地が取り残されるという不安もあったはずだが、実際にブラジルにおいて、やはりアマゾンは未開の土地だった。かつて黒い黄金ブームに沸いたベレンとマナウスだけは、当時の遺産としての文明が残っていたが、実際に移民たちが生活する耕地はそこから内陸に何百キロも離れた所にある。全く別物と思っていい。

現在でもブラジルにあっては、リオデジャネイロやサンパウロの人から見ればアマゾンは「人が行くところではない」というイメージが残っている。政治の中心は、国土の中央部に造られた首都ブラジリアに移ったが、産業や文化の中心はいずれも南部に集中し、アマゾンを訪ねたことがあるという人はむしろ少数だ。軍隊でも、アマゾン勤務になると僻地手当が出される。ブラジル人が、当時のアマゾンの開拓会社の株に二十八倍の競争率がついたと知ったら、きっと驚くに違いない。

開拓の困難を予測した鐘紡社長

日本で南米熱が政財界から国民の間までを駆け抜けている最中に、一人冷静にこの事業の困難さを予測している者がいた。

福原たちの旅立ちの直前、帝国ホテルの一室で、これからアマゾン開拓に挑もうとする若者たちを励ますパーティーが開かれた。居並ぶ政財界の重鎮たちを前にして、福原は「必ず五年以内にこの事業を成功させてみせます」と挨拶している。ニューヨークでの事前調査や現地調査も経験した福原にしてみれば、その言葉は嘘偽りのないものだったに違いない。

ところが、続いて挨拶に立った男が会場の熱気に水を差した。

「自分は少なくとも二十年先を期待している——」

他ならぬ鐘淵紡績社長、武藤山治の言葉だった。

「これは普通の商事会社の事業と違って、天下の大事業である。五年や十年で成功するとは思えない。そんな甘い考えでは、成功はおぼつかない」

自身異国での放浪体験もある武藤の言葉は、冷静だった。この時会場に居た南拓の先発隊長・奥正助は「武藤さんの意見はあまりに悠長だ、福原さんの五年説の方が理にかなっている」と感じていた（『アマゾンの歌　日本人の記録』角田房子）。

だが後に、奥はこう述懐しなければならなくなる。

「武藤さんの先見の明に、頭の下がる思いがしました」——。

はからずも武藤の言葉は、福原たち一行の将来を暗示するものだった。

もちろん、福原たちにしても、アマゾンを舐《な》める気など毛頭なかった。新会社創立総会で社長に就任した福原は、さっそく三名の部下とともに同年一〇月七日に再びベレンに戻り、百万町歩の土地の無償提供の具体的な契約を州政府と交わしている。契約に際して福原は、土地選びにも慎重だった。百万町歩を一ヶ所に集中せずに、いろいろな作物を予想して気候の異なる何カ所かに振り分けた。

ベレンから南へ三百キロ下ったアカラに六十万町歩、東へ六百キロの海岸線にあるモンテ・アレグレに四十万町歩。他にも三ヶ所に、各一万町歩の州有地を選択している。

翌二九年（昭和四年）一月。州有地提供の契約はブラジル法人と州政府の間に限るというブラジルの法律に照らして、福原は南拓の現地法人「株式会社コンパニア・ニッポニカ・プランタン・ド・ブラジル」を設立。前田光世はこの会社の取締役として名を連ねている。二月にはアカラ郡内のトメアスー（アカラの中心地からさらに南方へ百五十キロの地点）に仮事務所を建て、四月からは先発隊が測量と伐採を開始。以降、病院、種苗園《しゅびょうえん》、売店等の施設が準備されていった。

後に南部の移民たちは、アマゾン移住者を「温室移民」と呼んだ。全てのインフラ整備を入植者たちの自費で賄った南部に比べて、それほど福原の準備は入植者たちに手厚かった。

日本国内で、最初のアマゾンへの入植者の募集が始まったのは、トメアスーに仮事務所ができた一九二九年二月。南拓本社はすでに第一回の調査の結果、カカオを入植地での主要作物と決めていた。その栽培の様子を予めフィルムで撮影し、日本国内の各都道府県にあった海外協会に持参して繰り返し繰り返し上映している。同時に上映会場では、アマゾン産の米、豆、棒煙草《ぼうたばこ》、各種木材の見本を陳列して、入植希望者の関心を高めていった。

この時南拓が示した移民の条件は、入植すれば直ちに二十五町歩の土地を提供（売却、または貸与）するという、狭い農地に喘《あえ》ぐ日本の農民の現状から考えると夢のような話だった。ただしそれには会社からも条件があった。渡航費の二百円は政府からの補助があったが、その他に初年度の生計費として最低三百円を会社に預託すること。現地での収穫物の三割は会社に物納すること。土地を借り入れる者は、所得金の一割を会社に預託し、土地購入の資金とすること、等々。

日本国内には、一九二七年（昭和二年）三月以降金融恐慌の嵐が吹き荒れていた。一九三〇年（昭和五年）に実施された金輸出解禁時には、円の国際的競争力のなさを露呈し、未曾有《みぞう》の不況が追い撃ちをかけた。一九二九年の米価（一俵）は十円四十銭。その時代に三百円を預託しなければならなかったのだから、入植者は必死の思いで資金を掻き集めなければならなかったはずだ。

やがて九月。期待と不安が入り交じった第一回移住者四十三家族、単独青年九名、計百八十九名を乗せた大阪商船「もんてびでお丸」はリオデジャネイロに到着した。その時前田はわざわざベレンからリオデジャネイロにかけつけて、一行を歓迎している。

立ちはだかるアマゾンの大自然と異文化の壁

だが――。

ここまで周到な準備をし、入植への厳しい条件をつけ、福原や前田らが必死になって現地の受け入れ態勢を整えても、武藤の言葉が予言していた通り、アマゾンの大自然と異文化の壁は入植者たちに対してあくまでも厳しかった。

リオデジャネイロから「マニラ丸」に乗り換え、九月一六日にベレンに到着した一行は、五日間の休息の後、南拓が用意した船に乗り換えてアマゾン川支流に分け入って行った。アカラ川を遡行《そこう》して、トメアスー植民地の桟橋に到着したのは九月二二日午前八時半。そこで南拓の先発隊員とブラジル人の歓迎を受け、一行は同地アサイザールに新設されていた宿舎に荷を解いた。

ここまでの約二ヶ月にわたる旅の中で、入植者たちはすでに異国ブラジルの異様さに大きなショックを受けていた。

とにかく、物事のスケールが大きすぎる。アマゾンが世界一の大河だとは知っていたが、リオデジャネイロから大西洋を北上し「もうじきベレンです」と言われるまで、どこで大西洋からアマゾン川に入ったのか、眼下の水の濁りも空と同化する水平線の景色も、海と川の区別は誰にも見分けられなかった。

——河口の幅は三百三十キロ。東京から名古屋までの距離です。川の中にある一番大きな島は、九州と同じ大きさです。

すでに船の中で何度も南拓社員に数字を用いて説明されてはいたが、それがどんな風景をもたらすものなのか、現実を目の前にして初めて納得できるのだった。

夜空に飛ぶほたるまで、入植者たちには驚きだった。アマゾンでは小さいとされるものですら、日本のほたるの三倍はあった。しかも、尾でなく頭が光っている。中には赤く光るものもあったという。

——アマゾンまで来たんじゃけんのぉ、ぜんぶ日本とは違うじゃろう。

入植者たちはそう言いあって、目の前に広がる「不安」から気を紛らそうとした。

だが不安の材料は、アマゾンの大自然や異文化だけではなかった。トメアスーに到着してみると、当初の歓迎行事の華やかさとは別に、南拓による耕地の伐採や住居の建設は思ったほど進んでいないことがわかった。入植者たちの耕地はくじで割り当てられた。日本では考えられなかった二十五町歩の耕地が手に入る。入植者たちは喜んでくじを引いたが、道に刻まれた小さな目印を頼りに指定された土地まで行ってみると、そこには南拓によってわずかに伐採された空間はあったものの、一歩奥に入ると、まだ誰の斧《おの》も受け付けたことない真っ暗な密林が広がるばかりだった。

もちろんこの時代にあって、入植者に動力はない。日の出から日没まで、飽きることなく繰り返される斧と巨大な樹木との闘いは、全て彼らの素手で行われた。

その作業と並行して、家族が住む家の建築も、急がれる作業の一つだった。それができるまでは、雑魚寝《ざこね》に近い宿泊所での共同生活が続くのだ。

しかも、入植者たちの伐採作業が始まったのは九月末。約二ヶ月後には連日大量の雨が降る雨期が迫っていた。家は建てなければならない、密林は切り開かなければならない、切り出した木は乾燥させて焼かなければならない、何よりそれらの作業を全て独力でこなさなければならない……。入植者たちの現実は、入植直後から日増しに膨らむ不安と焦りとの闘いだった。

入植者を苦しめた雨季の到来

ここで南拓と入植者双方に誤算だったのは、第一回調査団が主要作物としてカカオを選んでいたことだった。南拓は、永年作物としてカカオを選び、その栽培方法を日本にいる時から入植者に指導していた。カカオはチョコレートの原料となり、ヨーロッパでの需要も多い。確かに栽培が軌道に乗れば、将来性の高い作物だった。

ところが収穫までに二〜三年かかることが軽視されていた。当時の入植者たちの最大の関心事は、一刻も早く自給自足体制を作ることだった。家族を食べさせるためには、手っ取り早く現金収入を得、明日の食料となる作物を手にする必要がある。それまでは、農民でありながら南拓から農作物を買わなければならない生活が続くのだ。

入植者たちは野生林と格闘して耕地を切り開くと、そこにまずカカオの種子を蒔いた。続いて短期作物として米、豆、綿花、煙草、シザール甘蔗、マンジョーカ等を植え付けた。さらに日本での農耕の経験を生かし、トマト、大根、ピーマン、茄子《なす》等の野菜の種子を蒔くことも忘れなかった。

だが前述したように、入植したのが九月末。すぐに森林の伐採を始めたが、雨期が始まる一一月末までに、それほど余裕はなかった。メキシコの「榎本殖民」と同様、焼畑農法を頓挫《とんざ》させる雨期の到来が入植者たちを苦しめた。

爆発した入植者たちの怒り

一方、男たちの外での闘いだけでなく、女たちの家庭内での闘いもあった。日本を出る時は、アマゾンはうだるような熱帯だから、蒲団は綿を抜いたもののほうがいいと教えられていた。赤道直下のイメージが、人々の口を介してそんなイメージを敷衍《ふえん》させていった結果だった。ところが実際は、雨期が近づくにつれて夜は冷え込むようになる。寒くて震える子供たちを前にして、女たちはあわてて牧草を刈り取り、綿の代わりに蒲団に入れなければならなかった。

もちろんアマゾンでも、家計との闘いは日本と同様だった。日本を出る時の南拓との契約では、当面の生活を支える資金を預託することになっていたが、中には手続きの途中でそれを誤魔化して、日本での赤貧をそのままアマゾンに持ち込んだ入植者も少なくなかった。生活資金が最初から底をついていた入植者には、南拓がいくばくかの資金を貸し与えたが、それはいつかは返済しなければならないものだった。自分の耕地の農作物ができるまで、食料は全て南拓の売店から購入しなければならない。生きていることが赤字の累積でもあった。

入植者のひとり、崎山比佐衛《さきやまひさえ》から日本へ宛てて、入植地の生活状況をしたためた手紙が残っている。

「二町歩の米、五斗入り九十三袋ありました。米作に限らず、作れば何でもよくできますが、わけても果物類がよくできます。一日の労働賃金は二ミル（日貨五十銭くらい）ですが、日本への手紙は一通一ミルいるので、一日働いても二通しか出せません。（中略）ここへきて二年間の経験で、百姓する者には次のような心持ちが必要であることを知りました。

第一、入植者は徹頭徹尾自給自足であること
第二、主食その他、必ず自力で余るほど作ること
第三、日用品は収穫物をもって交換すること
第四、収穫物を現金で売った場合には、その幾分もしくは全部を不時の用意に必ず貯蓄すること」

こうした原始的な物々交換のような経済の中で、たまさか食べ物が手に入っても、人々はアマゾンの原住民が食べる塩漬肉《シャルケ》の臭いにはやはりなかなか馴染めなかった。野菜の収穫期がきても糠漬けにする材料がなく、生魚や生肉はめったに売店には並ばないという状況だった。

そんな中で、入植者たちの希望の灯は、日本と比べても目にみえて生育がいい陸稲《おかぼ》にあった。熱帯なのだから無肥料で何でも育つと聞かされていた通り、アマゾンの奥地でも、稲は立派に穂をつけて頭を垂れていった。

――もうじき美味しい米がとれる。もう少しの辛抱だ。

ところが、ようやく陸稲の初収穫が始まろうという翌年春。よからぬ噂がトメアスー植民地を駆け巡った。

――南拓は入植者の作った米を不当に安く買い上げようとしている。市場価格との差があまりに開き過ぎている。

騒動の発端はこうだった。陸稲の収穫があるまで、入植者たちはなけなしの金をはたいて南拓から一俵二十円以上で米を買っていた。日本では一俵十円強だったのだから、約二倍の勘定だ。それでも春になれば自分たちの米ができる。そうすれば今度は、それを高く売ればいい。そう思って、入植者たちは、借金が増えてもじっと我慢していた。

ところが収穫が終わった一人がモミを売りに行くと、南拓は精米しても一俵三円でしか買わないと言う。一俵二十円以上の米を食べて育成した米が、一俵三円でしか売れないとしたら……。そうでなくとも生活や将来に対して不安な入植者たちの怒りが一気に爆発するまでに、そんなに時間はかからなかった。

　団交が始まった。

　南拓側の言い分はこうだった。

　最初の収穫があるまで、南拓はベレンの仲買人から入植者たちの食料となる米をベレンの市場から買い付けることにした。日本ならばどこに行っても米は充分にある。値段もほぼ全国均一だ。ところがアマゾンでは事情が違った。マンジョーカという芋を主食とするブラジル人にとって、米は高級野菜だった。しかも急に大量の需要があったために、値段をつり上げる業者がいた。仲買人は遠方まで大量の米を買い付けに行かなければならず、それで仕入値が高価になってしまった。

　では何故買い値が安いのか。理由は簡単だ。ブラジル人は高級野菜である米をそれほど必要としていない。日本人入植者たちが米を自給自足にしてしまったら、あとはごく一部の金持ちにしか売れないことになる。需要が少ないところに供給がどっと増えた。これでは値は下がるばかりだ。

　ここでも日本人は、アマゾンという異文化への理解が甘かった。百万町歩の土地の価値を見誤ったのと同様、農作物に関しても、日本の事情をそのまま当てはめて考えてしまっていた。

それは野菜についても同様だった。いくらトマトや茄子を作っても、その頃のアマゾンの人々は、野菜を食べるという習慣を持っていなかった。街中にさまざまなフルーツが溢れているのだから、それを食べればビタミンは充分に補給できる。わざわざ高い野菜を食べる必要はない。

数年後、日本人入植者たちはこの窮状を打破するため、野菜組合を作って組織的に生産から販売までを手がけようと試みている。トマト、ピーマン、キュウリ、茄子、大根、さらに従来熱帯では葉が巻かないとされていたキャベツにも積極的にチャレンジし、品種改良によって見事に実をつけさせることに成功した。

そうした農作業と並行して、組合員たちは自らベレンの街に出て天秤棒の両端に野菜を下げて行商を始めている。そうでもしなければ、野菜を食べる習慣はなかなかアマゾンの家庭に浸透していかなかった。前田光世もしばしばホームパーティーを開き、積極的にブラジル人に野菜料理を振る舞って、アマゾンの食文化の変革に努めたという記録が残っている。この頃、野菜売りの光景を不思議がったブラジル人たちは、日本人のことを「ナーボ（大根）」と呼んでいたという。

畑を焼き土地を捨てていく脱耕者たち

だが、入植者との間に最初の争議が発生した時、南拓は団交の中心者となった市原津南三ら数名に対して断固とした態度を示し、騒動の首謀者として入植地からの退去を命じている。本来一枚岩でなければならないはずの南拓と入植者たちの間に、最初の亀裂が走ったのはこの時のことだった。

さらに入植者たちには、アマゾンの風土病、マラリアが強敵だった。入植当初こそ体力的に余裕があったために罹患者《りかんしゃ》は少なかったが、次第に開拓の疲労が身体に溜まり、栄養失調が恒常的になった時に、マラリアの恐怖が入植地に現れた。

最初の入植から四年後の一九三三年（昭和八年）一月、トメアスー全体で百五十八名と記録されている罹患者数は、同年一二月には三千名にも膨れ上がっている。当時の入植者数は二千四十三名だったから、一人で何度か罹患した者もいたことになる。中にはついに病魔に対抗できずに、熱に負けて死亡する者も出てきた。この頃トメアスーは、マラリア植民地と呼ばれたほど罹患者が急増した。

こうした複合的な理由から、トメアスーでは年とともに脱耕者が増えていった。入植が始まった一九二九年（昭和四年）から八年後の一九三七年（昭和一二年）までに、三百五十二家族二千百四名の入植者が記録されているが、その中から七十六家族、千六百三名がせっかく切り開いた耕地を捨てて、他の土地へ出ていった。ある者は農耕を続けるために、さらにアマゾン内の他の耕地へ。ある者は農業を見限って他の職業に従事するために、サンパウロやリオデジャネイロといった南ブラジルの大都市へ。

脱耕を決心すると、入植者はとたんに周囲と会話を交わさなくなる。良い耕地を作るよりも目先の収穫を目指すようになり、伐採した土地を焼けるだけ焼いて一度だけの焼畑農法に賭けて移転費用を稼ごうとする。

近隣の者がある時を境に急に伐採地を焼き始めると、誰もが言葉にしないまでもその目的を察することができた。だが、誰一人としてそれを止める者はいなかった——たとえ今日仲間の脱耕を止めたとしても、明日は自分が畑を焼いているかもしれない。

誰にとっても開拓とは、大海に泥船で漕ぎ出すような、ギリギリの自分との闘いを意味していた。

この頃の脱耕者の割合は、実に七七％。最初の開拓地で生き残れるほうが、むしろ幸運な状況だった。

南拓の責任者の一人として、この頃千葉三郎は妻の礼子を伴って、八ヶ月に及ぶアマゾンへの視察の旅に出ている。回顧録を見ると、出国前に日本で書かれた部分には「憧れの南米へ行く」という記述が見られるが、旅の途中で礼子がひどい船酔いに悩まされたり、サントス港では先にアマゾンに入っていた日本における熱帯病の権威、医師の松岡冬樹が南拓の将来を悲観して退社の了承を求めるために面会に現れるなど、入植地の暗雲はすでにアマゾン到着前から千葉の頭上に漂いはじめていた。

千葉は書いている。

「私は入植者を個別訪問して相談相手となり、また山焼きもしたが、みな熱帯農業に慣れないから生活の不安を感じ、退耕する者も出てきた。アマゾン原産のマンジョーカの栽培さえ知っておれば、生活は安泰したはずだと、いまさらながら残念でならない。（中略）（一九三〇年）一一月になると、（入植者たちの）家長を集めては座談会を開き、種々希望を聞いた。その結果、私は入植者に二十五町歩の所有権を渡し、南拓と入植者の関係は債権のみにするべきだと信じ、福原氏に進言した」

入植者の困窮を伝える前田の手紙

すでにこの頃から、福原がリードする植民地経営は破綻の兆しを見せていた。南拓と入植者たちの間の亀裂が広がってしまっていたことは、この手記からも読み取れる。本来南拓と入植者の間に立ち、何とか開拓事業を成功させようともがいていた前田光世が、この状況を黙って見過ごしていたわけがない。耕地から次々とベレンへ逃れてくる入植者家族を見つめながら、前田は忸怩《じくじ》たる思いにかられていた。

千葉のアマゾン訪問からさらに五年後、一九三五年（昭和一〇年）七月二二日の日付が記された前田の直筆の手紙の一部が残っている。すでにインクがかすれ、大部分は判読するのに難しい状態だが、いくつかの文字を拾って意訳すると次のようになる。

「千葉三郎様　　　　　　　　　　　　　　　　　　高麗伯より

（途中から……）当会社を潰し、残り資金一万円の中十五円を差し出して早々に移籍の見込みのあるサンパウロなり何処かへ移転せよと、堂々出入りする植民者某に勧告し、植民地からの脱耕者は六名です。高木氏の勧告の言い分は……（判読できず）植民地の歴史なり事情なり、また植民の心理などをあまり研究せず、新任早々植民地に乗り込み、植民に悲観説を洩らし、植民はこれに輪をかけて他にも洩らして動揺し始め（中略）南拓閉鎖と誤解して、動揺騒然となり、その機に乗じた某が植民を煽ったのです。（中略）アマゾン開拓というこの大事業には、悲観は大禁物であると、日頃から忌憚《きたん》なく申し述べていたのでありますが、井口氏が現在持っているような気持ちで初めから臨んでいたらと、過去を省みるしかありません。植民地を創設して早足掛け七年になりますが……（判読できず）アカラを去る福原社長は全く別人のように変わりはて、同情の涙がこぼれました」

この年、日本の南拓本社は植民地の経営不振を憂慮し、入植開始から六年目にして新たに鐘紡の幹部社員の井口茂寿郎《もじゆろう》らをトメアスー植民地に送り込んでいた。同時に熱帯農業の権威、高木三郎が現地に迎えられ、植民地再建のためにあれこれと手が打たれた。第一回株式払込金二百四十五万円は植民地建設資金に使われ、第二回の百二十五万円は、全て起死回生のための運営資金に投入された。だがトメアスーを襲った窮状は、一向に回復の兆しを見せなかった。結局入植者の前で発表されたのは、永年作物とされていたカカオの直営農場の閉鎖、農事試験場の廃止、モンテ・アレグレとカスタニヤール耕地の閉鎖という、会社縮小案でしかなかった。

前田はこの決定を不服に思い、日本に戻っていた南拓取締役、千葉三郎に対して事の詳細をしたためた。特に後からノコノコ入植地へやって来て、「規模縮小」の決定しかできなかった井口や高木に対し、「悲観は禁物」と憤慨しているところが、いかにも「国士たる」を信条とする前田らしい。

南拓が会社縮小の決定を入植者に発表してから四日後の一九三五年（昭和一〇年）四月七日、入植者たちが集った橋爪会館は騒然とした雰囲気に包まれた。

「社長を出せ」

「社長の責任だぞ。社長が事態を説明しろ」

怒号が飛び交ってすわ暴動かと思われた時に、壇上に福原が登場した。

「過去における経営不振から、皆様を窮状に陥れたのはひとえに私の責任であります」

福原が低いトーンで淡々と経営の失敗を詫び始めると、会場は水を打ったように静かになった。この時福原はさらに、私費一万円（取材当時の価値に換算すると約三千万円）を植民地に置いて社長を退任することを発表した。数日後、福原は前田や入植者たちに背を向けて、寂しく日本へ帰っていく。後を引き継いで南拓のリーダーとなった井口の経営方針は、植民地の自治の徹底、経費の徹底的節減、産業組合強化を三原則とし、南拓は貿易業に転業するというものだった。つまり、入植者たちの生活よりも、会社の存続を第一とする決定だった。

これ以降、入植者たちは「親方南拓」を失って、自力再生の道を模索しなければならなくなる。福原を糾弾し、その責任を取らせた入植者たちは、皮肉なことに、この時を境に日頃の不満の捌《は》け口をも失うことになった。

入植に失敗した同朋の面倒をみる

「コンデさんは、入植者がアマゾン川を遡って耕地に入る時にはいろいろと面倒を見てくれるんですが、一人一人に絶対にベレンに戻ってきては駄目だぞと気合を入れていました。ところがそのうちの何割かは、結局入植を諦めてアマゾン川を下ってくるわけです。そして怒られるとわかっていてもコンデさんのところに相談に来る。そうするとコンデさんは本当に悲しそうな顔をして、お前も駄目だったかと言って、しばらくすると街の仕事を紹介してくれる。諦めてはいけないと叱っても、結局移民たちの面倒を見てくれるんです。私もその口でした。入植地から出てきた時に、コンデさんの紹介で、ベレンでの働き口を紹介してもらいました」

茶色い河の水が海のようなさざ波をつくって打ち寄せるベレンの波止場から、ポルトガル風の古い建物がぎっしりと並ぶ通称「オールドタウン」に入った所に、大獄一《おおたけはじめ》さんの働く事務所がある。その入植は一九三一年（昭和六年）。南拓での移民ではなく、郷里の先輩、故・山田義雄に誘われての個人的な移住だった。生前の前田光世を知る、最も古い移民の一人だ。白い開襟シャツからよく陽に焼けた腕を出した大獄さんは、八十六歳（取材当時）になるとは思えない若々しさだった。週に一回、アマゾンにたった一つあるゴルフコースでのプレーを欠かさなかったという。

大獄さんがアマゾンに来ることになったきっかけにも、前田が関わっている。

昭和初期、山田義雄は沼津で大きな果物商を営んでいた。講道館三段。どちらかといえば右翼の人であり、玄洋社《げんようしゃ》の頭山満《とうやまみつる》らと親交があった。やはり国士を目指して世界に日本人の移住地はないかと物色し、講道館の先輩、前田の紹介で一九二九年（昭和四年）にアマゾンに入り、ブラジル人カバレーロから耕作地の権利を譲り受けた。ところが入植の準備のために一旦日本に帰国している間にブラジルで政変があり、その耕作地の権利が抹消されてしまう。知らせを受けた山田は憤慨したが、日本からの声が遠くアマゾンに届くわけがない。意気消沈しているところに前田からの手紙が舞い込んだ。

「山田君、その後いかがお暮らしですか。今回のカバレーロ・コンセッション（開拓権）に対する革命政府の仕打ちは全くひどいと思います。折角意気込んでおられた貴君の失意を思うにつけ、紹介者の私としても責任を感じます。ところが突然のことながら、カバレーロのコンセッションと同様に、権利剝奪《はくだつ》と思われていたオーレン郡にある私の二万六千三十六町歩のコンセッションが、ゼッツリオ・バルガスの革命政権によって契約有効期限をそのまま認められたのです。もともとこれは、田付大使一行の北伯《ほくはく》視察、福原調査団の視察旅行の際の案内役としての私に、労をねぎらう意味で無償で下付された権利でしたが、私が外国人であることと、私利私欲のない恬淡《かったん》さがわかったとみえ、私にアマゾン開発の意図が本当にあるなら、従前の契約を認めるだけでなく、有効期限の延長を認めようという意向があるのです。それで私は貴君のことを思い出し、早速この好意を受けることにしたのです。もしカバレーロのコンセッション契約の際に示されたような熱意が、まだ貴君の心の中に残っているようでしたら、乾坤一擲《けんこんいってき》アマゾンに骨を埋める気でやってみませんか。貴君にその気がないようでしたら、私はこの権利の自然消滅を待つだけです。至急ご返事ください」

山田はこの手紙を見て小躍りして喜んだ。早速「承知した」という電報をアマゾンに打つと、日本の政財界を回ってアマゾン開拓事業への出資を募った。

「前田さんがここまで心配していてくださるのなら、あなたの開拓計画もうまくいくでしょう。日本政府としても、拓務省《たくむしょう》を通じて若干の補助金が取れるようにしましょう」

外務省の担当官は、アマゾンでの前田の奮闘を知っていて、そう激励してくれた。やがて山田は、やはり海外雄飛に夢を抱いていた郷里の後輩、大獄さんたち六人の若者を連れて「ブエノスアイレス丸」に乗り込んだ。この時山田は三十五歳。大獄さんは二十歳。辿り着いたオーレンの街（ベレンから東へ五百キロ）はまさに山紫水明《さんしすいめい》の地で、日本人好みの場所だった。山田を含めた一行は、さっそく密林を伐採しながら耕地を広げていった。働き盛りの若者が七人も揃っているのだから、すぐに広大な畑ができるだろう。そう高をくくっていた。

ブラジル国籍を取得し退路を断つ

ところがここでもアマゾンの自然は甘くなかった。水が綺麗《きれい》なところほど、マラリアを媒介するアナファレス蚊の絶好の生息地となる。あっと言う間に全員が高熱で倒れ、何日も四十度を超える高熱が続き、労働意欲も減退していった。しかも、一行の中に日本での農業経験者が一人もいなかったことも致命的だった。山田自身は商業の人だったし、大獄さんたちはまだ学校を出たばかりだった。経験者ですら苦労するアマゾンの地で、全くの素人が若さだけで自然に立ち向かおうとしても、そこには限界がある。

やがて一行は集団生活が維持できなくなり、大獄さんたちは耕地を捨ててベレンに戻り、山田は妻を連れてさらに奥地に入って材木の切り出しを手がけるようになる。

大獄さんは言う。

「山田はオーレンからさらにカヌーで二日もかかるカピトンポッソという所のジャングルに入って、そこで原住民と一緒に木材の切り出しをしたんです。ジャングルの原始生活ですから、猿も食ったそうですよ。原住民は、鰐《わに》だって素手でつかまえます。だからジャングルの中で飢えるということはないけれど、そのかわり何でも食べなければならない。戦争中には炭焼きをやったりして、ほとんど原住民と同じような生活をしていました」

山田や大獄さんもまた、入植の初期にはアマゾンの自然にその斧を弾き返された。前田がベレンの南拓オフィスで入植者たちのための事務仕事をしていると、アマゾン川を下って一人、また一家族と入植者が耕地から舞い戻ってくる。その姿を見かけるたびに、前田は「君も駄目だったか」と肩を落として、家へ連れ帰り食事を振る舞う。

それでもベレンに留まるならば力になるというのが前田の態度だった。アマゾンから南へ出てはいけない。リオデジャネイロやサンパウロに行かずにベレンに留まって、別の仕事で開拓の夢を引き継げばいい。前田は口癖のようにそう言った。

この頃大獄さんは、前田から「ブラジル国籍を取ったほうがいい」と勧められている。前田自身は昭和六年頃に帰化を申請し、すでにブラジル国籍を得ていた。「腰掛けのようなつもりで開拓はつとまらない」という持論を大獄さんたち入植者に実証するために、前田は自分自身の態度でその意思を示した。

満州事変の影響

この「国籍」の問題は、やはりこの頃多くの日本人が移住していた満州でも、日本人青年たちの懸案の一つになっている。八紘一宇《はっこういちう》という理想を掲げた日本の満州進出が、はたして現地人との共存をはかっているのか、それともその理想は、日本の植民地主義エゴイズムの隠れ蓑なのか。大陸での理想郷創りに燃える若者たちは一九三一年（昭和六年）の満州事変の前後、満州青年連盟を結成し「満州自治案」を討議している。

この時、後の世界的指揮者、小沢征爾《おざわせいじ》の父・小沢開作《かいさく》（歯科医）もこの討議に参加し、もしも満州に民族協和の自治の理想郷を創るならば、われわれは日本国籍を捨てて喜んで満州国籍に入るべきだという主張に与《くみ》している。

腰掛けでは開拓の夢は実らない。まして植民地考えで現地人を搾取《さくしゅ》していいはずがない。まだ軍国主義がその実態を現す前に、満州でも開作ら若者たちの間で「日本民族発展の地」創りの夢が語られていた。

その希望は後に、満州事変から上海事変（一九三七年）へと続く軍部の暴走によってひきちぎられていく。一九三二年（昭和七年）に建国を宣言した満州国の皇帝に日本の傀儡《かいらい》の清朝皇帝溥儀《ふぎ》が就任すると、失望した開作は黙って満州を去っていく。だがそれでも開作は決して「理想の地」創りの希望の火を捨てたわけではなかった。

後にアメリカがベトナム戦争に介入し、北爆を強化していた一九六六年（昭和四一年）、開作はワシントンに故ジョン・ケネディ大統領の次男ロバート・ケネディ上院議員を訪ね、ベトナム戦争批判を展開したというエピソードを持っている。「北爆は、徒《いたずら》に軍事行動に偏向し、占領地域の民治政策を無視した日本の満州侵略に似ている」というのがその論拠だった。この時開作は六十七歳。満州で培った民族協和の理想は、彼の中で絶えることなく青白い炎を燃やし続けていた。開作の伝記を著した松本健一は、その魂の執念の揺らめきを「埋み火」と記している。

満州とアマゾン。両者を同じ土俵で語るにはその歴史も日本の関わり方も全く異なるが、その理想郷創りには一身を捨て＝国籍を捨てて参加するべしという考えは、前田にも小沢にも共通していたことは間違いない。

風前の灯となった前田の夢

それにしても――。アマゾンの大自然は人間のか弱い斧をなかなか受け付けてはくれなかった。歴史的に見てもかつて一九世紀末にイギリスが失敗し、一九三〇年代にはアメリカのフォード財閥も大資本を投下した入植に挫折《ざせつ》、西洋文明はいずれもアマゾン開拓に手酷い敗北を喫している。

前田光世が大いなる夢を描いて切り開こうとした「日本民族発展の地」創りも、一九三〇年代、まさに風前の灯の様相を呈していた。

開拓地トメアスーからの脱耕者は、

一九三五年　十七家族、八十三人

三六年　二十家族、七十八人
三七年　二十五家族、百十九人
三八年　十九家族、百十九人
三九年　七十家族、四百六十五人
四〇年　六十九家族、四百十五人
四一年　十八家族、九十七人
四二年　三十八家族、二百二十七人

特に一九四一年以降も十八家族、三十八家族と脱耕が続いている点が注目される。四一年に始まった太平洋戦争によって日本とブラジルは国交が断絶し、日本人は敵性国人扱いとなって住居の移動が禁止されていた。にもかかわらず、アマゾンはあまりの奥地で当局の取締りの目が届かなかったのを幸いに、脱耕していく者が絶えなかった。この頃までで、トメアスーに残ったのは、わずか入植者の三割という惨状だ。

実はこの頃、後にトメアスー植民地の希望の星となる小さな苗が、誰にも注目されることなく入植地の片隅でひっそりと根を張りはじめていた。一九三三年（昭和八年）に南拓社員・臼井牧之助によってシンガポールよりアマゾンに運ばれ、アサイザール試験場の片隅に植えられた二十本のピメンタ（胡椒《こしょう》）の苗木だった。だがカカオに絶望し、野菜作りに忙殺され、マラリアと闘いながら明日の食料を得るために必死だった入植者たちは、まだこの芽吹きに気づいていない。福原はこのことを知らずにアマゾンを去り、多くの入植者たちもまた、何の希望も持てない「可能性」だけの大地に嫌気がさして耕地を捨てて出ていった。このピメンタが世界的な商品作物になるのは、第二次大戦終戦後のことになる。

私信に綴られた凛然とした覚悟

前田は一人、ベレンで踏ん張っていた。

入植地の惨状は誰よりもわかっていたはずだが、アマゾン川を下って脱耕してくる者がいれば就職等の世話をし、排日法案がブラジル国会で提案されれば親日派の議員を説得して回り、新たに入植してくる若者たちがいれば細かな指示を出して激励し続けた。

入植の開始前から、前田はこの事業が相当の苦行になることを覚悟していた。一九三〇年（昭和五年）に前田の手によって書かれた私信がある。その後の切羽詰まった状況を考える時、入植開始時にすでに書かれていたこの私信の凜然《りんぜん》とした言葉が胸を打つ。この覚悟があったからこそ、前田は、アマゾンに、負けられなかったのだ。

「小生は柔道の方から考えても、自己民族の発展という事を勝負の理論に基づきて凡《そ》の上に必勝を期して進まなければならぬと信ずる。我々は競争の敗者になってはならぬ。それについては正しい手段が必要となる。勝負の真理は正道に従って進むことである。アマゾン進出もこの正道によらなければならぬ。これは私の堅い信念である。私の柔道勝負に臨む時の覚悟と同じものである。この信念を以て進む時は、数十年後には我が民族はこの大地に大発展を遂げる事ができるものと信ずるのである。（中略）もちろん、植民は一両年にして栄華の実を結ぶものではないので、小生の死体が墓の下に朽ちて白骨となった頃、この辺に日本人前田コンデ・コマの墓標はあるはずだと、繁栄した同胞移民の手で苔の生えた小さな墓標が探し出される日があることを信ずる。その時小生の霊魂は不滅に残って自分の信念が貫徹されたことをどんなにか喜ぶことであろう――」

七章

亜馬孫《アマゾン》

一九四二「巨星墜つ」

千葉夫人の証言

「私たちがアマゾンへ行ったのは、昭和五年（一九三〇年）です。その時はベレンの街に、市内電車が走っていました。小さな一両の電車で、石炭か何かで走っていたんじゃないでしょうか。馬車じゃありませんでしたよ。運転手がいて、手を挙げるとどこでも止まってくれるんです。私たちはグランド・ホテル（現・ヒルトン・ベレン）に部屋を取っていましたから、その前で手を挙げて乗りました。あの街は午後一時になると、必ず雨が降るんですね。雨が降り出すと、皆それがやむまで降りないで、街の中をグルグル走っていくんです」

もう一人東京に、生前の前田光世＝コンデ・コマを知る人がいた。南拓創設初期の取締役の一人としてアマゾン開拓に功績のあった代議士、千葉三郎の夫人、礼子さんだった。

九十一歳（取材当時）になる彼女は、湘南《しょうなん》に住む娘さん夫婦の家と都内・千石《せんごく》の自宅敷地に建てたマンションとを、一人で行き来していた。月に一度は女学校時代の同窓生で集まり、万葉集と源氏物語を勉強する会にも参加していた。千石は、終戦の日、隣に住む鈴木貫太郎《すずきかんたろう》首相の家と間違って、無条件降服に反対する反乱軍が機関銃を門の前に据えたというエピソードを持つ地でもある。その時礼子さんは、裏口から自動車で逃げようとした鈴木首相を助け、なかなか坂道を登らない自動車の後ろを必死で押したという。明治生まれの代議士の妻として、歴史の裏側をしっかりと見てきた人でもある。

「コンデさんの家には、私は毎日行っていました。ホテルにいたって主人は会社（南拓）に行ってしまって寂しいですから、コンデさんの家には、毎日のように日本人の奥さんが二～三人集まってくるんです。会社の上役の奥さんです。春日さんと植木さんと言ったかしら……。

もちろん、昼間はコンデさんも会社に行っていていません。コンデさんの奥さんが面白い人なんです。私はマダム・コンデさんと呼んでいました。娘さんはセレステさんだったかしら。その娘さんが私になついてね。マミー、マミーと言って私を離さないの。それでマダム・コンデが、私が遊びに行くと『マミーが来たよ』と言って笑うんです。お人形さんみたいな顔をして、とても可愛い娘さんでした。

マダム・コンデは普段は英語やポルトガル語を話していましたが、日本語も少しわかるので、単語を並べるだけで日常会話はできました。毎日集まって、お料理を作りました。日本みたいに材料はありませんが、サンパウロまで行くとお醤油やら鰹節やらが手に入るらしいんです。それをコンデさんの家に持ち寄って。よく作ったのは、ポスカーダという大きなお魚のお刺身でした。白身でタイとヒラメの間くらいの味で、わりと美味しかったんです。その刺身を作れるのが私だけだったので、よく作ってくれとせがまれました。コンデさんはベレンで古いですから、男の人も女の人も、よく集まってくるんです。

今でも忘れません、コンデさんのガッチリした後ろ姿。胸を張って、スッスッと進む歩き方。一度だけ、コンデさんの柔道を見せてもらったことがあります。いいえ、柔道着を着た正式のものじゃないんです。何かの時にいきなりスッテーンて誰かを投げ飛ばしたの。技をかけたんです。びっくりしちゃった。ああいうのを、目にも留まらぬ早技っていうんでしょうね。あんなに綺麗に人を投げられるのかと思った。そんな記憶があります。

コンデさんとはグランド・ホテルのパーティーの時に、社交ダンスを踊ったこともありますよ。

ブラジルの人は、食事の後にちょっと床が空いていると、すぐにレコードをかけてダンスをするんです。ブラジルに行ったらダンスができなかったらダメ。私はトメアスーでも独身の方にずいぶんダンスを踊ってさしあげましたよ。会社が雨天体育館のようなものを作りましたから。簡単なんです。ワルツとかその程度ですから。言葉なんかできなくてもいいの。踊ってりゃブラジルじゃそれでいいんです。

妻と養女とともに写る晩年の前田
（写真所蔵元／東奥日報社）

コンデさんはダンスもお上手でしたよ。優しい方でした。無口で、いつでもにこやかに微笑んでいて。ああいうお顔の男性は、最近では見かけなくなりましたね」

雨期と乾期がはっきりと分かれるアマゾンでは、雨期は日本の春か秋のような気温が続いて凌ぎやすい。乾期は、さすがに日中は木陰にいないとすぐに汗が滲んでくるが、空気が乾いているだけに、朝夕は涼しい風が通り抜けていく。

市内には路面電車が走り、大きなカテドラルやオペラハウスが建つベレン市内の最大の憩いの場は、グランド・ホテルの前にあるプラサ・ド・リパブリカ（革命広場）だった。夕方になるとマンゴーの木陰にたくさんのイスとテーブルが並べられ、白っぽい麻の服を着た老若男女が集まってくる。人々はそこでアイスクリームや名物のアサイイのシャーベットを食べながら、夜がふけるまで屈託《くったく》のないお喋りを続けていく。

日本人が集まる一角の中心には、必ず前田光世がいた。領事館員、拓務省の役人、南拓社員等が前田を中心に席を取り、一日の疲れを癒《いや》し、新しい開拓地に思いをはせ、時には日本の思い出話に花が咲いた。

礼子さんは一九三〇年に約八ヶ月間、アマゾン開拓の視察に入った千葉三郎の供をしてベレンに滞在した。開拓が始まったばかりのトメアスーにも出かけていき、豚を焼いて食べたり焼畑農業を手伝った経験もある。もちろんすでに入植者とアマゾンの自然との格闘は始まっていたが、彼女の口振りからは入植地の悲愴な感じは伝わってこない。千葉は現場に入っていったが、礼子さんは主にベレンに留まっていたからだろう。入植地でマラリアの罹患者が増えたり南拓との争議が起こってくるのは、礼子さんが日本に帰ってからのことになる。

外務省に残る前田の功績調書

前田もまた、この頃はベレンで日本から到着する入植者の受け入れや、コンセッション（耕作権）の契約交渉を主な仕事としていた。外務省に残る前田の功績調書によると、次のような働きがあったことが記録されている。

・一九二八年（昭和三年）、南拓とパラー州政府とのコンセッション契約に際して、事業開始十五年目から納税の義務を主張する政府に対して、二十五年目からを主張。これを達成する。

・一九二八年（昭和三年）、マウエス興業株式会社設立に際して、そこの顧問として活躍。

昭和一〇年同社解散後は引き続き同地日本人会顧問として、在留民のために尽くす。
・一九三〇年（昭和五年）、アマゾニア産業株式会社設立に際して同社取締役として活躍。
・一九三二年（昭和七年）、アマゾン青年開拓団三十余名の解散後、残留者十数名の困窮を見てパラー州ソーレ郡長と交渉して、彼らのための農業用地の無償権を獲得。
・一九三三年（昭和八年）、拓務省嘱託として北伯植民事業の指導振興に努める。
・一九三四年（昭和九年）、ベレン領事館開設までは、在伯大使館委嘱により、また自発的に邦人視察者、在留邦人、また連絡交通の最も悪いボリビア、リベラルタ在留邦人に対しても各種便宜供与、保護をし、事実上の私設領事の役割も務める。

役所の記録に残らない分野でも、前田は入植者たちのためにさまざまに尽力している。後に福原が書いている。

「(前略) マボリヤア在住の日本人は女が少ないので、ベレーンから日本婦人を女房に求める。その世話までいちいち前田君がする。至れり尽くせりの世話で、在留日本人の慈父とあがめられた程である。ある時、ペルーから来た日本人乞食《こじき》があるというので、それは心外の事と前田君、警察へ行って調べると、その男はペルーから筏《いかだ》へ乗って単身大アマゾン川を下り、ベレーンまで辿り着いたが仕事がないから乞食をした。伯国人《ブラジル》は慈悲深く物をよくくれるので楽な生活だというのだそうで、そんなみっともない事をさせられるのは日本人の体面に関するから放っておくわけにはいかぬと、私は前田君と相談して、私の寓居《ぐうきょ》の庭掃除番に使ってやった。すると六ヶ月してペルーに帰るという。そこに姉もいるから再び会いたいと訴える。途中旅費が不足したら働いて食っていく、遡行《そこう》は筏では叶わないから汽船で上るという。前田君はよく世話をして出発させた。こんな風で、前田君の人情に篤《あつ》いことは感ずべしである」

パラー州から前田個人に与えられたコンセッション（耕作権）は、日本人の入植が始まった直後、一九三一年（昭和六年）に記録されている。それは二万六千三十六町歩、約二百五十八平方キロという広大なものだった。前田はここに山田義雄たちを入植させ、残りのうちから一万町歩を講道館に寄付したいと申し出ている。後に友人への手紙の中で、「嘉納先生ご在世中は講道館の維持費も何処からか出るかもしれぬけれども、百年後、嘉納先生を失った講道館は如何かと考える時、今のうちに基本財産を作っておくことが最も肝要と思う」と記している。

しかし実際は、嘉納がこの申し入れに喜んだという記録はあるが、講道館は具体的これに対する行動は起こしておらず、山田たちも途中で脱耕したために、昭和一五年頃からは入植者は皆無となり、前田コンセッションは放置されてしまった。

南拓の縮小が一九三五年（昭和一〇年）。翌年を最後に、南拓としての入植事業はいったん幕が閉じられた。一九三一年には、モンテ・アレグレ植民地に入ったＹＭＣＡアマゾン青年開拓団が入植後約三ヶ月で解散。メンバーの大半はアマゾンを去り、残った十数名に対して、前田は州とかけあって農地の耕作権を分け与えている。

だが、そこでも入植事業は困難を極め、青年団はついに四人しか残ることができなかった。

すでにイギリスも、アメリカのフォードも、アマゾンの入植事業から撤退していた。最後に残った日本の入植事業もついにこれまでか。最初の入植から十年が過ぎた頃、ベレンには、悲愴な空気が漂っていた。

前田の熱意に再びアマゾンへ

「考えておいてくれましたか、平賀さん」

一九三九年（昭和一四年）、前田はベレン市内に住む平賀練吉《ひらがれんきち》の前でそう言って頭を下げた。この時平賀は三十七歳。前田はすでに六十一歳になっていた。

その厚い胸板、背筋の伸びた姿勢は変わらなかったが、髪はすっかり白くなっていた。持病の腎臓病も悪化して、前田はあれほど好きだった酒をピタリと止めていた。持ち前の強気にも影が差したのか、日本から誰かが持ってきた大衆小説を繰り返し読んではポロポロと涙をこぼすこともあった。年に数度、港に日本からの船が着くと、カンピョウ、高野豆腐、梅干し等の食料品を分けてもらってくる。サンパウロ―ベレン間を走る定期船「ブエノスアイレス丸」の矢島勘造船長が届けてくれる納豆も、食事の楽しみの一つだった。入植者が持ってくる山芋も好物で、自分ですりおろしてトロロにして楽しんでいた。

前出の大獄さんの記憶では、前田は花札が好きで、領事館に集っては副領事や南拓の社員たちと卓を囲んでいたという。

「一度、コンデさんが物凄《ものすご》く怒ったことがありました。誰かが不正をしたんでしょう。そうしたら、頭から湯気を出して怒って、不正はゆるさないと言って仁王立ちになったことがあります」

大獄さんが懐かしそうに言う。それもまた、前田らしいエピソードだ。

ベレンにいる限り、前田は一見穏やかな余生を過ごしていた。養女セレステにピアノを買い与え、午後になると彼女の弾くメロディを子守歌がわりに、愛用のロッキングチェアーで午睡を楽しむのが、毎日の日課でもあった。

だが一度入植者たちのことを考える時、前田には素直に枯れていけないジレンマがあった。

自分が約十五年かけて志を掲げてた入植事業が、未だに芽を出さない。この年も、トメアスーは七十家族四百六十五人もの脱耕者を出していた。皮肉なことに、開拓地から脱耕した者たちが集まるベレンは、すっかり日本人が街に溢れるようになった。彼らもまた商業を手がけたり職人になったり、それぞれに生きるための努力は続けていた。前田を訪ねる者も多く、遊び相手には事欠かなくなったというのも正直なところだ。

けれど肝心の入植地の見通しが立たない。

平賀の家で、前田は両手をついて苦しいお願いをしようとしていた。息子ほども歳が違う平賀の前で、前田は床に額をこすりつけるようにしてこう切り出した。

「トメアスーの窮状については、もう充分に聞いておられるだろうし、私も先日、洗いざらいお話ししたつもりです。本当に、ひどい。そんな植民地へ行ってくれとお願いするのは、まことに心苦しいが、あなたならば承知してくださるかと思って……」

この時前田が頭を下げた平賀練吉は、関西財界の巨頭・平賀敏《さとし》の九男だった。父・敏は南拓発足時の発起人の一人で、一九三一年（昭和六年）、ＹＭＣＡアマゾン青年開拓団が組織される時に、子供の一人をアマゾンに送り込もうと考えて練吉を選んだ。

練吉は東京帝国大学農学部林学科卒業後、大阪営林局に勤めていた。父の勧めを聞いて、

――人間の住むことはできないといわれている場所を、住み得る場所にすれば、狭い国土にひしめいている日本人はもとより、世界人類への貢献になる。

そう考えて、青年団の副団長としてアマゾンへ渡る決意をした。

だが一行が「リオデジャネイロ丸」で日本を発った時には四十七名いたはずの団員が、サンパウロに着いた時には四十名になり、ベレンから、目指すモンテ・アレグレ耕地に向かう時にはすでに三十数名になっていた。そこでも二ヶ月目にマラリアが発生し、三ヶ月で集団は分裂。

「困難を覚悟で来たはずなのに、一年で退散とは意気地がない」と、平賀は他の十数名とともにアマゾンに残り、前田の斡旋で他の耕地を得て再び農耕を開始した。だがそれも続かずに、結局残ったのは平賀含め四人。もうあとがないという窮状に追い込まれた時に、光がさしてきた。農耕から牧畜へと手を広げたことが幸いして、どん底の状態から次第に農場が整備され、この時は約八年かかって牧場の基礎を固めたところだった。

「あなたならば」という前田の言葉には、幾多の失敗を乗り越えて開拓事業を軌道にのせた平賀の粘り強さに対する期待が込められていた。困窮しているトメアスー入植者たちの農業指導者になってほしい。そう言って、前田は頭を下げた。かつて自分も農地のことで面倒を見てもらい、ベレンで慈父とさえ呼ばれる年配の前田にここまでされたら、平賀も黙っているわけにはいかなかった。

「お役にたつかどうかはわかりませんが、トメアスーへ行きましょう。たびたび来ていただいて、あなたの熱意には頭が下がります」

そう答えて、平賀は再びアマゾンの自然と格闘することを覚悟した。

「ありがたい。お礼の言葉もありません」

前田はそう言って、再び深く頭を下げている。

幻の木村政彦戦

この頃の前田の苦悩は察するに余りある。

還暦を迎えて体力の衰えを自覚し、持病の腎臓病は悪化の一途を辿り始めていた。初期の入植仲間の中には何人か、櫛の歯が欠けるように鬼籍《きせき》に入る者も出始めている。普通ならばここまでくれば、開拓事業の功労者として悠々自適の生活を送り、名誉職に就くなりして人生に華を持たせたいところだ。

だが前田は自分にそれを許さなかった。自らの志の前に立ちふさがるアマゾンの自然に対して、知恵と人事の限りを尽くし、ある意味ではプライドも振り捨てて、入植地を立て直そうと奔走した。

前田は、自らの大望を成就させるために、あることを犠牲にしている。

当時日本に戻り、時事新報社の重役になっていた千葉が後に書いている。

「昭和一五年、かつての移民課長大橋《おおはし》忠一《ちゆういち》が外務次官になったので、（前田の）労苦に報いるために外務省の費用で日本に招待することになり、私から申し伝えたが、本人が遠慮しているうちに戦争になってしまった」

この千葉からの提案を素直に受ければ、前田は一九四〇年（昭和一五年）に皇居で行われた「皇紀二千六百年祭」に外務省の招待で参加し、三十六年振りに故郷の土を踏めるはずだった。仮に前田が日本の土を踏んでいたとしたら、この時の記念柔道大会で優勝したのは後にブラジルに渡りグレイシー柔術の祖エリオ・グレイシーと戦ったことでも知られる柔道家、木村政彦《きむらまさひこ》だったから、柔道史はまた違った展開を見せていたかもしれない。

日本を一目見たい、もう一度日本の土を踏みたいと願っていたのは、誰よりも前田自身のはずだった。だがその誘いが来た時も、前田は入植者を残して自分だけが太平洋を渡ることを潔しとしなかった。

ここでの千葉の記述には誤解がある。本人が遠慮しているうちに「戦争になってしまった」のではなく、本人が帰国を承諾しないうちに「天命がつきてしまった」が正しい。この申し入れは、前田の最晩年に行われたものだった。しかも、入植初期に一緒に汗を流した千葉自らが、前田に「外務省の費用で」と伝えている。本来ならば前田は飛んで帰りたいはずだった。

だが前田はその申し入れにも首を縦に振らなかった。やはり帰国を促《うなが》す他の友人に対しては、こんな言い訳をしながら――。

「実は自分も一度帰りたく思っていたが、妻が内地《ないち》へ帰る費用があったら、それで家を建ててくださいと言う。家族の前途を思うとそのほうがよいかと思うから、帰国は先に延ばして家を建てることにしたよ」

望郷の念を封じ込め開拓の夢に殉じ

確かに前田は一九四〇年（昭和一五年）に新しく家を建て始め、翌四一年に完成している。二階の北側、アマゾン川を望む一角がサンルームになり、小さなバルコニーもついた瀟洒《しょうしゃ》な家だ。設計も全て前田がしたのだと、建築工事中に訪ねた友人に、妻のメイは自慢気に語っている。

「家族の前途」という前田の言葉通り、前田の死後、その家はメイ夫人の唯一の財産となり、生活が窮乏した時にはそれを借家にすることで、メイは後に養女となったクリービアとともに生き延びることができた。取材当時もクリービアはその家に住んでいた。

メイはまた、癇癪《かんしゃく》持ちでもあったようだ。後に、前田がまだ酒を飲んでいた頃を思い出して、「コマは佐竹がベレンにいた頃は、夕方になるとすき焼でお酒ばかり飲んで私をかまってくれないから、（私は）神経衰弱になってしまった。とうとう我慢できずに、私は彼の日記を燃やしてしまった」

と語った記録がある。あるいはメイは、前田に日本への招待が来た時も、「コマを日本に帰すとそのまま日本に留まって、ベレンに戻って来ないのでは」と心配になって、家のことを持ち出したとも考えられる。

少なくとも千葉の提案に従えば、前田は帰国費用を心配する必要はなかった。持病の腎臓病も一九三七年（昭和一二年）に比べれば、三九年のほうが小康状態にあったというから、体力的にも問題はなかったはずだ。それでも前田は帰ろうとしなかった。いや、帰れなかった。

晩年を迎えた前田の頭から離れなかったのは、やはりトメアスーをはじめとする日本人入植地のことだった。

一九四〇年（昭和一五年）にも、トメアスーは六十九家族四百十五人の脱耕者を出している。この数字が小さくならないかぎり、どんなに老いても、前田の「勝負」は、まだ前田自身の中で終わっていなかった。帰国の望みを振り切ってでも、前田は開拓の夢に殉じることを選んだ。それが国士たる、前田のけじめだった。

巨星墜つ

一九四一年（昭和一六年）六月七日。前田は完成した新居に移った。北側には広い庭があり、そこには草花を植え、その向こうには小さなバナナ畑を作った。日当たりのいい家だった。裏庭には太いマンゴーの老木が一本。鶏がその周りを駆け回り、メイ夫人と成人近くなったセレステで、かいがいしく庭の世話をしていた。

その頃手にする新聞には、日本の軍隊が中国大陸から南洋に進撃する様子が報道され、その勢いのよさが前田の気持ちも軽くしていたようだ。前田は腎臓病が悪化し一時尿毒症を併発していたが、新居の完成が嬉しかったのか、この頃には小康を取り戻し、何の前触れもなく領事館をフラリと訪ねては、当時領事館に勤めていた尾崎龍夫らを驚かしたりしている。

だが腎臓病には安静と食事療法が鉄則だ。小康を取り戻すと近所を歩き回ってしまう気力と、人一倍食事をとってしまう食欲がアダとなって、九月頃になると再び家に籠《こ》もるようになった。尾崎が病床を訪ねると、前田はロッキングチェアーにもたれて、蘆花《ろか》全集を読んでいた。

「増永さんや村井さん、崎山さんたちは、相次いで亡くなってしまいましたね」

尾崎が言うと、前田は、

「僕がひとり残ってしまったな」

と力なく呟いたという。

一九三〇年（昭和五年）に上塚とともにアマゾンに入った大工の増永栄正、農夫の村井道夫、さらに三二年（昭和七年）に南拓第九回入植者としてマウエスに入った崎山比佐衛ら、初期の入植者たちがこの頃次々と永眠していた。同士を失った悲しみは、前田の生きるエネルギーに影を差した。

尾崎は日記風に前田の病状を記している。

「一〇月。病状は一進一退を繰り返し、食事療法で摂取量を制限されたために、傍目《はため》にも衰退していくのが明らかになる。

一一月一六日。ベッドから立ち上がろうとして膝の力が抜け、躓《つまず》いて倒れてしまう。偏食から来た脚気と診断され、主治医が薬を注射。その結果が悪く、二晩眠ることができずに、意識が錯乱して意味不明のうわ言を洩らす。

一八日。前田の六十三歳の誕生日。だが痛みは収まらず、主治医は『危篤《きとく》』を宣言する。

一九日。見舞いに行くと、前田はお腹の上に皿を置いて、大きな玉ねぎと赤いトマトを美味そうに食べていた。帰ろうとすると、『君、戦争の話をしに来てくれたまえ、待っているから』と人なつこい声で言う。

二三日。訪問してきた領事と昔話をする。

二七日。ついに危篤となる」

二六日頃、前田が横になった部屋からは「ナニ糞《くそ》ッ」という前田の声が、何度か聞こえていたという。危篤が宣言されると、東京へ電報を打って、友人を呼び寄せてほしいと言ったりもした。

だが尾崎の日記は、ついに一一月二八日で前田の記載を終えることになってしまう。

「二八日早朝、四時五分。ベレン市在住邦人多数の涙の中に、ついに息を引き取る。その死に顔は眠るが如く、安らかだった」

その最期の言葉は、「日本の水が飲みたい、日本に帰りたい」だったと、ブラジルの雑誌は伝えている。主《あるじ》が長く病床に伏せ、家人も看病に追われてかまえなかった庭は、雑草が生い茂ってしまっていたが、前田が植えた草花は、負けずに可憐な花をつけていた。

そろそろ雨期の到来を告げようとするアマゾンの空に向かって、痩《や》せたカンナやおしろい花、そして野菊たちが、精一杯の背伸びをして、前田の魂を見送った。

アマゾンの密林に入ると、一日に必ず一度か二度、足元を揺るがすドドドンという地響きを感じることがある。遠く、あるいは近く、最初は高い所で葉がサッサッサッと擦れ合い、次第に大きな枝がバリバリ音をたて、やがて耳をつんざくドドドドンという唸りを上げながら、百年、千年の天寿を全うした老木が、何に促されるでもなく自ら地面を激しく叩いて倒れていく。

この響きなくして、アマゾンに新しい日はやってこない。

生まれ出た生命は、どんな精力を誇ろうとも、やがて朽ちて天寿を全うする時がくる。

世界を股にかけて歴戦の先に、日本民族の理想の地を夢見た男、前田光世。

その夢の形を脳裏に刻むことなく、ついに巨星墜つ——。

ベレンの街に現われた時ならぬ長い行列

一九四一年（昭和一六年）一一月二八日、午後四時。ベレンの街には、時ならぬ人と自動車の長い列ができた。

前田を見送ろうとするベレン市内の全ての日本人と前田の友人たちが、家のあるビラ・ボローニャに集まった。この頃ベレンでは、約七十家族の日本人が定住し、そのほとんどが野菜の行商か野菜の生産で生業を立てていた。生前、誰一人として前田の世話にならない者はいなかった。彼らが両脇に一杯の花を持って現れ、前田の柩《ひつぎ》を飾りたてた。柩が運び出されると、市内中心部にあるサンタ・イザベル墓地まで、ベレン中の自動車が行列を作って前田を見送った。

遺体は、特等地区第四百八十八号の墓地に埋葬された。

生前の言葉通り、アマゾンのマンゴーの樹の下で、前田の魂は永遠の眠りについた。

翌日の『O ESTADO DO PARA』紙は、追悼記事を掲載している。

「昨日の明け方、ボローニャ四番地の自宅で亡くなったコンド・コマは、この州の日本人移民のリーダーだった。移民の間だけでなく、ブラジル人の間でも紳士として知られ、常に両国人の友好のために働いてきた。その死は、関係者を深い悲しみに包みこんだ。

コンデ・コマは、二十六年間という長い間、いつも忠実に人々のためによく働いた。

コンデ・コマは、一九一五年に、キューバやメキシコを経て長い旅の後に柔術の師範としてベレンに居つき、そのチャンピオンとして恐れられていた。ベレンやマナウスでは、何度も何度も講演をした。

享年六十三歳。一八七八年一一月一八日に日本の青森県に生まれ、早稲田大学を出て、メイ・イリス・コンデ・コマと結婚。残された一人娘、セレステ・イリス・コンデ・コマは現在医学生となっている。

昨日行われた葬儀では、午後四時に自宅から墓地まで行列が続き、多くの友人知人、社会的有力者の代理人が集まった。その中でも、特に日本人移民たちの悲しみの表情が目をひいた」

前田の死の直後、一二月になると、アマゾンの新聞の一面を飾ったのは日本軍によるハワイ真珠湾攻撃のニュースだった。ブラジルは連合国側に与《くみ》し、以降、各地で日本人移民は収容所生活を余議無くされていく。

その状況にあって、ベレンの新聞『フオリア・ド・ルチノ』紙は、一二月二四日になってブラジル海軍少佐ルイス・ソーツの手による前田光世への追悼文を掲載している。少佐は、生前の前田に柔道初段を認定された柔道家だった。国家間の対立関係を越えて、一人の人間としてコンデ・コマ＝前田光世の死を悼《いた》むその言葉が、胸を打つ。

「(前略) 八ヶ月の間、氏と共に生活した私は、氏が武道家として理想的なタイプであることを具《つぶさ》に観察することができた。更《さら》にその武道家として幾多の傑出《けっしゅつ》せる素質の上に深い教養と高潔な品性を併せ有していた事が、氏を知る限りの人々が氏に対して敬愛と尊敬を惜しまなかった理由であったろう。（中略）柔道をもって、肉体のみならず同時に精神をも修練する妙技なりとすれば、我がコマ伯爵前田光世師こそは、その究《きわ》めたる奥義《おうぎ》によっても、またその到達せる人格の高雅《こうが》より見るも、その鉄石の如き意思より見るも、その底知れぬ信念の堅さより見るも、真にその代表ともいうべきではなかろうか。氏の逝去《せいきょ》によって、奇跡にも近いこの妙技の権化、第一流の典型的敢闘の魂魄《こんぱく》が遂に我がアマゾン河口から失われ去ったことを哀しむ」

前田の夢が実らせたピメンタ

前田の悲報と、その直後に始まった忌まわしい戦争の陰で、アマゾンの開拓地ではひっそりと息づいている「希望」があった。南拓社員、臼井牧之助がシンガポールから持ち込んだピメンタ（胡椒）だ。トメアスー入植地に軟禁された入植者たちの手で、その苗は少しずつ数を増やしていた。臼井から引き継いでその生育を見守っていたのは、加藤友治、斎藤円治といった農民たちだった。

戦争が始まる以前は、ピメンタの実は極端な安値で、入植者たちは見向きもしなかった。加藤と斎藤にしても、苗木の育成を引き受けたのは、放っておいたら枯れ死するからという消極的な理由にすぎなかった。

二人の手によって初めてその実がベレン市場へ出荷されたのは、一九三七年（昭和一二年）。この時はまだピメンタの値は東南アジア産のものに押されて、他の人々の注目を集めるようなものにはなっていない。それでも、他の作物もそれほど可能性はないのだからと、片手間にピメンタを植え付ける農民が一人二人と増えていった。

やがて戦争となり、日本とブラジルは一九四二年（昭和一七年）一月二八日、国交を断絶して敵対関係に陥った。同時にトメアスーはパラー州の直轄地となり、ベレンの収容所に入れられていた日本人たちは、皆トメアスー入植地に軟禁された。

その時、ともすれば意気消沈しようとする入植者たちを勇気づけたのは、新聞で報道される日本軍部の東南アジア侵攻の報道と、加藤、斎藤らの手によって数百本に増えていたピメンタの苗だった。

——いつかこの戦争に日本が勝利して、自分たちは戦勝国民としてピメンタを世界に輸出するんだ。

開戦とともに東南アジアのピメンタの産地は戦火で焼かれ、ブラジル産のピメンタの値段は高騰《こうとう》の兆しを見せていた。戦渦の最中、一九四三年の記録では、トメアスーのピメンタは五千本近くに増えている。入植者たちの希望は、次第にピメンタに集中するようになっていた。

やがて一九四五年（昭和二〇年）。皮肉にも入植者たちの希望の一つは無残に打ち砕かれ、もう一つは想像以上の成果をその手にもたらすことになった。

一つは母国・日本の敗戦であり、もう一つはこの年までに約三万本に増えていたピメンタの市場価格の高騰だった。入植者たちにとって母国の敗戦は信じたくない出来事だったが、ピメンタの値段は、それとは関係なくかつて例がないほどに急上昇していった。

ピメンタの実が戦後初めてトメアスー植民地から出荷されたのは一九四六年。翌年からは増収増益を続け、四七年に三十五万八千八百八十クルゼイロ（レアルになる前のブラジルの通貨単位）だった売り上げが、八年後、五五年には一億七百六十七万二千五百七十五クルゼイロと、実に三百倍に跳ね上がり、トメアスーにはついにピメンタ景気がやってきた。

この好景気を受けて、一時休止されていたトメアスーへの移民が再開されたのは一九五三年（昭和二八年）。戦後初めて二十八家族が入植し、再びアマゾンは日本人移民の活気で賑わうことになる。

以降今日でも半世紀以上。アマゾンの地において、日本人入植者はかつてイギリスやアメリカの大資本がなし得なかった開拓事業を見事に成し遂げ、パラー州を中心に八つの州にまたがる約四十近い入植地にそれぞれ根を張って、アマゾンの自然の中で生活を営んでいる。

アマゾンの大自然の中で、今日も、コンデ・コマ＝前田光世の魂は生き続けている。

終章

亜馬孫《アマゾン》

一九九五「心意気」

現地の新聞に掲載された柔道家の写真

アマゾンの朝は早い。

赤道と南回帰線に挟まれた街、ベレン。市内の中心部にある大きなバスターミナルには、朝五時頃になると、まだ薄暗い中を人々が大きな荷物を持ってどこからともなく集まってくる。女の子の手を引いた若い太ったおかあさん、カーキ色の軍服を着た褐色の軍人、大きなボストンバッグを持った長髪の若者、ボロボロのシャツに薄汚れたジーンズを穿いた老人等々。

鉄路を持たないアマゾンにあって、庶民の主要な足はバスだ。

ターミナルでは日本の約五十五倍の面積を持つこの国の、あらゆる方面へ向かおうとする大型バスが早朝からエンジンをかけて、座席を確保しようとする人々の気持ちを煽っている。首都ブラジリアまでなら約十二時間、サンパウロやリオまで行こうとするなら三日以上かけて、人々は尻が痛くなるのをじっと我慢しながら、乗合いバスで移動していく。

チケット売場には、早朝というのにほんのりと甘い香りが漂っている。大きな荷車一杯に、赤や黄、緑といったさまざまな彩りの大小の果物が積まれ、売り子が声を張り上げる。ベレンは、マンゴーの街といわれている。縦横に走る街路には、びっしりとマンゴーが植えられ、緑の葉が車道や歩道を覆って強い陽射しを遮る傘となっている。その緑の傘から、時折大きな実が落ちてくる。道を走る車の天井やボンネットがへこんでいると、「あれはマンゴーにやられたんだ」と人々は愉快そうに笑う。かといって、マンゴーの木を切ってしまえとか、車の駐車位置を変えろという声にはならないところが、アマゾンに生きる人々の大らかなところだ。

六時近くになって、急に視界が明るくなってきた。アマゾンの日の出だ。

ところが空を見上げると、太陽が顔を出したのは右手の地平線からで、どうも西の方角に思えて仕方がない。この街では太陽が北の空を昇るのだと気づくまでに、少し時間がかかる。しかも太陽は、あくまで地面と直角にスッと昇り、気がつくとポッカリと中空に浮かんでいる。日本のように、「しらじら」といった朝焼けの余韻はない。

それもまた、赤道の街らしいところだ。

バスターミナルでは、五〜六歳の子供たちが両手に抱えられるだけの新聞を持って、大人たちの足元を売り歩いている。皆、上半身裸、そして、裸足。その一人を呼び止めて一レアル（取材当時は約百円）渡して新聞を買うと、一面に日本人柔道家の写真が掲載されていた。

「ほら、縄田さん。昨日の柔道大会の記事が出ていますよ」

すでにバスの先頭座席にちょこんと座っていたこの日の旅の友、縄田武四郎さんに新聞を差し出してみた。

「んだんだ、大勢観客が来てたからな。なんて書いてあるだか」

ベレン医科大学の体育館で開かれた『コンデ・コマ　インタナショナル　ジュウドウチャンピオンシップ』の翌日、一九九五年（平成七年）一月一五日。日の出とともに乗り込んだバスは、通路まで一杯になるほどの満員の客を詰め込むと、武四郎さんが住むイガラッペアスという町に向かって走り出した。

前田の夢を引き継ぐ武四郎さんとの出会い

武四郎さんと出会ったのは、柔道大会の前日だった。日本からやって来た選手を歓迎して開かれた、青森県人会主催の昼食会。会場となった大きなシュラスコ（焼き肉屋）には、アマゾンの各地から約百名近い日系人たちが集まって来た。約二時間の昼食会のために、四百キロの彼方から車を走らせて来た人もいる。そのことに驚くと、「アマゾンじゃそれほど珍しいことじゃないよ」と笑っている。武四郎さんのような老人から、お母さんに抱かれた赤ちゃんまで。中には聞き取るのが難しい津軽弁《つがる》を話す人もいる。会話の途中で、どうしてもポルトガル語が混じってしまう若者もいる。

コンデ・コマの取材でここまで来ましたと言うと、武四郎さんは「おらあんまりコンデさんのことは知らねぇだども」と故郷の七戸《しちのへ》訛りで語りながら、それでもベレンや日系人社会についていろいろなことを話してくれた。小柄な身体に白い短髪。日に焼けた肌に深く刻まれた皺《しわ》。外見はすっかり好々爺然《こうこうやぜん》としているけれど、話しているとさまざまなことに強い好奇心を持っていることがわかる。日本経済の様子やブラジルのインフレのこと等、しっかりと世界の経済情報を頭に入れていることにも驚いてしまう。

「もしできましたら、お宅にホームステイさせていただけませんか」

途中で思いきってそう訊ねてみた。できたら移民の生活に直に接してみたい。コンデ・コマ＝前田光世が「日本民族発展の地」と心に決めた地をこの目で見てみたい。彼の大いなる夢の発露で始まった開拓事業の実際を知ることで、遠くコンデ・コマの時代に少しでも近づけるのではないか。咄嗟《とっさ》にそう思って口を突いて出た言葉だった。

「んん、うちでよければ構わんよ。イガラッペアスにはオレの息子夫婦さ住んでっから、そこさ泊まればいいい」

そう言って、武四郎さんは気軽に引き受けてくれた。「ただし、バスで二時間以上かかるなぁんにもない田舎だども」と笑いながら——。

最後の移民船「日本丸」に乗って

走り出したバスは、しばらくの間、上下六車線の国道をたくさんの車に揉まれながら走っていたが、すぐに二車線の田舎道にハンドルを切った。そこからは、デコボコのアスファルトの道が遥か遠い丘の向こうに消えるまで、車の影は一台も見えなくなる。車窓の両側には、ジャングルとも草原とも区別がつかない風景が延々と続いていく。東京からサンパウロまで一万八千キロ。サンパウロからベレンまで二千五百キロ。そこからさらに百キロの奥地、イガラッペアスを目指してバスはひたすら走る。

思えば、遠くに、来たものだ。

「このへんはジャングルといっても、まだ自然林じゃねえだよ。密林に見えても一度は誰かの手が入ってる。ベレンの周辺には、もう自然林はほとんど残ってねぇじゃねぇだか。本当のジャングルといったら、もっと奥地さ入らねばなんねえし、こんなもんじゃねぇだ。中に入ったら、昼間でも薄暗いもんな」

車中、武四郎さんが問わず語りにいろいろなことを話してくれる。アマゾンのこと、ベレンのこと、移民のこと、日系人社会のこと、そして自分自身のこと。

武四郎さんは一九二一年（大正一〇年）生まれの七十四歳（取材当時）。日本からイガラッペアスに移住して二十二年目（取材当時）というから、移民の決断は五十歳を超えてからということになる。一九七三年（昭和四八年）、最後の移民船「日本丸」に乗って家族と移り住んできた。ずいぶん遅咲きの移民一世だ。日本の高度成長を経た後の移民に相応《ふさわ》しく、その理由もまた、切羽詰まってブラジルに渡って来た初期の移民たちとは全く違っている。

武四郎さんは、出身地、青森県上北郡七戸町では田んぼと畑を中心に耕作し、牧場と山林も少し持っていた。近所にブラジル通の県会議員がいて、一緒にアマゾンに移住して広い所で農業がしたいもんだと前々から話し合っていた。そこへ七三年当時、時の宰相田中《たなか》角栄《かくえい》が提唱する「列島改造ブーム」がやってきて、牧場に約二千六百万円の値がついた。「狭い日本で農業するよりも、広いブラジルがいいと思ってせぇ。オラ東北の寒さも嫌えだったし」

武四郎さんは言う。迷わず牧場を現金に換えて、長男夫婦、新婚の三男夫婦とともにブラジル行きの船に乗り込んだ。

普通日本の移民たちは、入植直後はすでに成功している日本人移民の農場で、雇われ仕事をする。「パトロン」と呼ばれる先輩移民たちは、比較的安い労働力で彼らと契約する代わりに、後輩が巣立っていく時はピメンタ（胡椒）の苗を分けたり耕地の面倒を見たりする。初めてアマゾンの地に降り立った移民たちは、パトロンのもとでアマゾンの気候や農地の様子、カボクロと呼ばれる現地人労働者の使い方を覚えてから、独立して自分の耕地に移っていくのが一般的だ。

ところがイガラッペアスに入植した武四郎さんは、仲間がすでにそこにいたこともあってパトロンの世話にならなかった。息子が二人いて労働力も揃っていたし、独立心が強かったこともある。五十歳にもなって、人の世話になりたくないという自負もあったのだろう。初めから自分で現地人と交渉して耕地を手に入れて、独学でピメンタの栽培に乗り出した。

もちろん、そのことで失敗したこともあるる

入植当時、イガラッペアスに日本人移住者が一度に集中したために、周辺の地価が約五倍にも急騰してしまった。現地の事情がよくわからない中で、言われるままに土地を買お

うとした結果だった。しかも武四郎さんは悪質ブローカーに騙《だま》されて、後に裁判になり、結局地代を二度も支払わなければならなかった。入植直後、偽の契約書をつかまされていたのだ。

「アマゾンにもバブルがあったんだな」

と、武四郎さんは笑う。

一方、先輩の教えに頼らずに、逆に成功したこともある。耕作に関しては幸運だった。長年の東北での農業経験からカンを働かせて、赤道直下の地で寒冷地独特の被覆栽培（苗の上に草を被せて直射日光が当たらないようにする方法、本来は雪や霜から苗を守るためのもの）をピメンタに試してみた。これが予想以上に当たった。二年目の初収穫期から通常の約二倍、一本の苗から約六キロのピメンタが採れた。天候や東南アジア産の収穫量によって相場が激しく変化するピメンタは、当時幸運にも、九五年時と比較しても約二倍の高値がついていた。三年目にはさらに収穫量が増え、初期の投下資金以上の売り上げとなって新たに耕地や車を購入することができた。一時は約三百キロ離れたサリナスという海岸に別荘を持ったこともある。もっともそれは、忙しくて利用できなかったことと、後の不作もあって結局手放すことになってしまうのだが——。

表四割裏六割

約二十年の月日の中で、経済的に何回もの浮き沈みを経験しているのが、国際相場に無防備なブラジル農業らしいところだ。電話の回線は町全体で五本しかない(九六年当時)というイガラッペアスだが、武四郎さんたちは世界経済の動きを見て作付け作物を決め、収穫時のピメンタの値段を予想しながら耕作していかなければならない。

全ての作物が国際相場で決まるブラジルでは、一つの作物で十年間頑張れば必ず一度は「当たる」という。ところが仮に「当たって」も、ここ十数年続いていた年に二〇〇〇%を超すインフレで、油断すると貯金したお金がただの紙屑《かみくず》になってしまうケースがある。それを避けるためには、「表四割裏六割」というブラジル経済に精通した資産防衛が必要だ。武四郎さんが経済通になるのも、アマゾンで生きるための知恵なのだ。

「こっちじゃ農地は安い。二十五町歩が一ロッテという単位なんだども、日本円にするといぐらぐらいだか。十万円も出せば、イガラッペアスなら一ロッテ買えるでねぇべか。ジャングルの奥地に行けば、そりゃ只みたいなもんさ。土地の計算の仕方も、ロッテでなくて、川に沿って何キロという単位になる。三キロ買った人はせぇ、奥には行けるだけ行っていいだ。自分で開墾したら、そりゃせぇ、自分のものになる。ところがこっちの原住民には、日本人の土地の感覚はわからねぇ。せっかく開墾しても、一ヶ月も放っておくと、もう敷地内にやつらが家を建てて住んでいる。もともとバラックだからせぇ、やつらは家を壊されても痛くも痒《かゆ》くもねぇんだな」

アマゾンの話は何を聞いても、新鮮なカルチャーショックだ。

日が中空に昇る頃、「そろそろ町だ、バスを降りる準備さしねぇと」と武四郎さんが呟いた。町とはいえ、ビルや住宅が立ち並んでいるわけではない。視界が開け、デコボコの舗装道路が少しおとなしくなり、前方に見える十字路に何軒かの商店が並ぶだけだ。よくみると、小さな教会とガソリンスタンドがあった。それが町の印だ。

イガラッペアスには、取材当時、三十家族の日本人移民が住んでいる。事情はそれぞれだが、皆立派な家を持ち、現地人労働者（カボクロ）を常時五〜六人、収穫期には約五十人も使っている人もいた。彼らの賃金は、法定で一日二百五十円。温情《おんじょう》をかけてそれ以上給料を支払うと、彼らは三日目には仕事に出てこなくなる。「家にお金が余ったから働く必要がない」というのが、彼らの流儀だ。そういう異文化の細部も熟知しながら農業経営を行わなければ、入植地での成功はおぼつかない。

「結局、残った人は成功した人だからな。途中で他に移ったり日本さ帰った人もたくさんいるべ」

武四郎さんは言った。

一緒に「日本丸」に乗って来た人の中でも、すでに約半分は農地を離れてしまっている。武四郎さんの家族でも、一緒に移住してきた長男夫婦はアマゾンの水が合わずに帰国し、本来腰掛けのつもりだった三男の三男《みつお》さんと妻のますみさん夫婦が一緒に農地を守っている。

実状にあわなくなっていたアマゾンへの入植テキスト

実は、ベレンに来てみてショックだったことがあった。日本から持って来たアマゾンのテキストが当地の実状にあわなくなっていたのだ。

角田房子著『アマゾンの歌　日本人の記録』。一九六五年（昭和四〇年）から翌年にかけて、アマゾン一帯の植民地を綿密に取材して書かれたこの書には、一九二九年の第一期入植者たちがコーヒー袋を下着がわりにするような苦労を重ねながら、最後にはピメンタ御殿と呼ばれる豪邸を持つまでの成功譚《たん》が綴られている。山田義一、大沼春雄、平賀練吉といった前田光世と同じ時代を生きたその登場人物たちは、アマゾン開拓の歴史を調べるうちに、私にはヒーローのようにも思えてきていた。

ところがベレンに来てみると、彼らの入植地であるトメアスーまで飛んでいたはずの、テコテコと呼ばれる軽飛行機の定期便がなくなっていた。一つには自動車の普及もある。けれど陸路だと、今でもアマゾン川支流では橋がないので艀に乗らなければならず、現地まで三時間以上かかってしまう。定期便の消滅は、何より経済的な理由からだった。

――初期の人たちが開いたトメアスーの胡椒は、今は元気がないからね。昔みたいに景気がよくないんだ。

何度かそんな言葉を聞いた。かつての御殿も今は朽ち果て、農場を離れていった後継者も少なくないという。

いつの時代にも幸運と不運はある。けれど長い年月で見ると、一か八かで相場をはるような「博打農《ばくちのう》」に走らずに、自ら工夫してコツコツと努力した者だけが、結局アマゾンの大地と共生することができる。

縄田家でも、後継者の問題とは無縁ではない。

二十代前半で移住し、武四郎さんとともに開拓に汗を流してきた三男さんは、二十年ほど前、仲間と資金を出し合ってデンデーと呼ばれる椰子《やし》の油を搾《しぼ》る工場を近くに建設した。椰子は通年収穫ができ、農場から作物を盗まれる心配がない。製品はマーガリンや食用油になり、ヨーロッパでの需要も多い。軌道に乗れば、市場が不安定なピメンタに頼らないでも済むようになる。

「うちでも跡継ぎのことを考えないといけないから。将来は、今日本に働きに行っている次男に継がせようと思ってるんですが、いつまでもピメンタだけじゃ可哀相ですから」

三男さんが言う。先輩から後輩へ、移民一世から二世へ、さらにアマゾンで生まれた三世、四世へ。現在のアマゾン日系社会の最大の課題は、事業継承にある。作り上げてきた農地を、いかにして次代に残すか。農業だけでなく、より収入が安定する他の産業はないものか。自分たちの失敗を糧《かて》として、より豊かな財産を後世に残すにはどうしたらいいか。盛者必衰《じょうしゃひっすい》、栄枯盛衰《えいこせいすい》の原則の中で、誰もが上の代に倣い、次の時代に希望を託しながら、アマゾンの可能性を切り開く努力を繰り返している。

息子を日本に行かせるのは修行

もっとも時代とともに、人々の価値観や考え方が変わってきていることもまた、事実だ。

最近、移民農家では、経済的な理由からだけでなく、跡継ぎと目される息子を日本に出稼ぎに出すケースが増えている。彼らは日本で三〜四年頑張って働いてくると、アマゾンに戻ってから見違えるように働き者になるという。

「その理由が面白いのよ」

三男さんの隣で、妻のますみさんが笑いながら教えてくれた。

「あんな国（日本）でアクセク生きていくくらいなら、アマゾンで頑張るからって言うの」

それがブラジル生まれの息子たちの言い分だそうだ。

アマゾンで生まれた三世、四世たちは、ブラジル人社会の鷹揚《おうよう》さとアマゾンの自然に抱かれて、すっかり楽天的な現地人の気質に染まってしまっている。しかもある程度成功している農家では、農作業はカボクロに任せ、自分たちは毎朝作業の指示だけ出していればいい。生まれながらにしてそういう環境に慣れてしまうと、経済が激変した時に対処することができず、やがては衰退の憂き目を見る。

「日本に行かせるのは、一種の修行のようなもんです。ボク自身、こっちに来る前に川崎でサラリーマンをやっていたから、その生活のキツサは知っていたしね」

三男さんは言う。

九六年現在、日本にはブラジルから約十六万人の「出稼ぎ者」が滞在しているという。日本からリオデジャネイロやサンパウロ周辺のコーヒー農園への出稼ぎが始まってから百年余り。前田光世がアマゾン移民を提唱してから約九十年。当初は日本からブラジルへと人は流れていたが、一九八五年前後を境にして、それが逆流しはじめた。日本では不法滞在者が問題となり、ジャパゆきさん等の悲話が週刊誌等で書かれ始めたのもこの頃からのことだ。

けれどアマゾンへ来てみると、日本で語られているような「国際出稼ぎ」の悲惨さはない。国際電話が一万八千キロを瞬時に結び、ファックスが普及し、インターネットを使えば隣の人に話し掛けるように情報を伝えることができる。当時二ヶ月かかった船旅は、わずか二十四時間の航空路に短縮された。大農場を経営する成功者の中には、「ちょっと日本の生活を試すために出稼ぎしてみた」という声も聞かれるほどだ。

「日本なんて三ヶ月で帰ってきましたよ。あんなに気疲れして、長時間働いて、それでいて一年間頑張っても二万ドルくらいし貯《た》まらないんだもの」

歓迎会で出会った年収が二十万ドルあるという農夫は、小切手をピッと切りながら、そう呟いていた。

アマゾンに今も息づく前田の心意気

コンデ・コマ＝前田光世の時代から約一世紀。

時の流れは日本だけが特異なのではない。アマゾンでも、時の流れは人の価値観も街の様子も全てにさまざまな変化をもたらしている。もちろん、社会の成熟度を見れば、日本のほうが進んでいると言って間違いはないだろう。彼らに「あんな国」と呼ばれる筋合いはないとも思える。

けれどアマゾンへの旅を終え、「あんな国」に戻って久しぶりに電車に乗って驚いてしまった。「あなたの乳房を美しくする方法」「発見！　南仏の小さなホテル」「貴乃花婚約！」――。

なんだ、語られているのは、生きていくために必要のないものばかりじゃないか。生きるために大切なことはむしろ片隅に追いやられ、極彩色のうわべの華やかさばかりが日常を埋め尽くしている。確かにアマゾンには豊穣な物資はない。けれどそれは空虚なのではなく、然るべきものが然るべきところに必要なだけあるということでもある。

そのことに気づいた時、かつて前田光世が語った「アマゾニアこそ日本民族発展の地」という言葉に、少し近づけたようにも思える。

帰り際、ますみさんがお土産にくれた缶詰には、ギッシリと椰子の新芽が詰まっていた。齧《かじ》ると、シャキシャキと硬かった。それは、日本の野菜には感じられない歯ごたえだった。

これが前田光世が愛したアマゾンの自然と、そこに生きる人々の心意気なのだと、何本も何本もそれを齧りながら、ボクは今、思っている。

文庫版あとがき

今を生きる男

「ちょっと待ってくれ。それが問題なんだ。その質問に答えることは難しい。その質問にどう答えるかということで、私という人間の考え方が決まってくると思うから――」

それはインタビュー冒頭の出来事だった。私の前に座った男は、質問に対して居住まいを正しながらそう答えてきた。

時は95年の12月。この時私は、のちにデビュー作として発刊される『ライオンの夢　コンデ・コマ＝前田光世伝』を書き上げ、第三回21世紀国際ノンフィクション大賞（現・小学館ノンフィクション大賞）に応募したところだった。約3年間かけてブラジル、イギリス、キューバ、メキシコ等を取材して、約一世紀前の明治時代に生きた男、前田光世の素顔と魅力を精一杯書き切ったつもりだった。

ところが約500枚の原稿を書き上げてみると、前田とは別の一人の男の存在が以前にも増して脳裏にこびりつくようになった。明治の男を書いたにもかかわらず、現代に生きる一人の男の存在が気にかかる。しかもその男は、日本人ではなく、地球の反対側に生まれたブラジル人なのだ。

なぜ私はこれほどまでにその男のことが気になるのか。

自分でも整理できない感情をもてあまして、私はその男に会うために、海を渡ってロサンゼルスまできていた。

抜けるように真っ青な空の下、その男の豪邸は海岸から少し内陸に入った高台にあった。

室内は純白の壁と天井、ゆったりとしたソファまで白一色でコーディネートされている。

その大きなリビングルームで褐色の身体をソファに寛がせた男、ヒクソン・グレイシーこそが、私がはるばる海を渡って訪ねた人物だった。

私の抱いたえも言われぬ思いを強いて言葉で表せば、資料と取材で浮かび上がった前田光世の存在感と、ひりひりするような緊張感漲《みなぎ》る異種格闘技戦のリング上で目の当たりにしたヒクソンのそれとの類似性にある。いや、二人の存在感は「似ている」などというよりも、ヒクソンは前田の生まれ変わりなのではないかと思わせるほどの「奇跡の関係」

といってもいい。

本書に書いたように、彼の弟であるホイス・グレイシーが93年にアメリカのマット界に彗星のごとくデビューしたことで、私は前田光世の存在を知り、憑《つ》かれたようにその足跡を追う旅をくり返してきた。

その間、94年と95年にヒクソンは日本のマット界に登場し、その強さとしなやかさを存分に披瀝していった。

――前田光世の肉体と精神が生きているとしたら、ヒクソンの中にしかない。

格闘技に興味を持つ者ならば、グレイシー柔術というブラジル生まれの格闘技の痺《しび》れるようなテクニックを目の当たりにした者ならば、誰もがそう思ったはずだ。

だから私は、前田とヒクソンの、国境と時代を超えた「伝承」を確かめるためにロサンゼルスまでやってきたのだ。

リビングの窓からは、12月とはいえカリフォルニアの柔らかな日差しが贅沢なくらい降り注ぎ、芝生に並んだ木立の間からは、目を凝らすとかすかに太平洋の白波を望むことができる。

この日道場での稽古を終え、心地よい潮風に当たりながら昼食をとり、約束通り家に戻ってインタビューを始めるまで、ヒクソンは終始上機嫌だった。

冒頭の答えが返ってきた時も、何も難しい質問をしたわけではない。一通りの経歴を聞き、その中で彼の生年月日が語られていなかったことから、「生まれは何年ですか？」と質問した時、彼の中で何かが弾けたようだった。

彼はそれまでよりも心持ち真剣な表情をつくり、こう続けた。

「私は時間の概念を知っているし、年齢ということも知っている。でも、私は年齢を信じていないんだ。私には過去も未来も関係ない。どこでいつ生まれたか、今何歳で、いつ死ぬのか。そういう概念の外で生きようと思っている。時間を超越したところで生きたいと思っているんだ。私にとって大切なのは『プレゼンス＝今』だ。ある人にとっては20歳は若く、ある人にとっては80歳は年老いて感じられるかもしれないけれど、私はそうは思わない。私が信じているのは『今』だけだ。だから私は、年齢のことを考えたことがないんだ」

世界一の格闘家と呼ばれる男、ヒクソン・グレイシー。その祖国ブラジルから、世界の格闘界を席巻しようとしているグレイシー柔術界の英雄だ。18歳で柔術の黒帯をその腰に巻いて以来約20年間、ブラジルでの柔術の大会、アマチュア・レスリング、サンボ、そして「ヴァーリ・トゥード」と呼ばれる「何でもあり」のルールの賞金を賭けたプロの試合を含めて、400以上の試合を経験しながら、まだ彼が負けた光景を見た者はいないという。

94年7月と95年4月の来日の折りには、彼の登場は日本の格闘界の「黒船」と呼ばれた。さまざまな流派の格闘家やレスラーを次々と気絶させ、あるいはギブアップさせていく姿は圧巻だった。私は彼の来日のたびにインタビューを繰り返していたが、同時期に『ライオンの夢』の原稿を書いていたこともあって、それだけでは納得できなかった。ヒクソンの姿に一世紀前の前田の雄姿が見事に重なり、もっともっとその細部を知りたくなった。

その思いが高じて、「あなたの日常生活を全て見せていただけませんか。生活の細部に宿る、格闘家としてのあなたの生き方、考え方を見せてほしいと思っています」と手紙を書いたのは、95年の夏の終わり頃のことだった。

私にとってそれは前田光世の足跡を辿る旅の、つまり本書『ライオンの夢』という作品の、最終章だったことになる。

柔術から「Jiu-Jitsu」へ

二度にわたる日本でのヴァーリ・トゥードの大会の折り、彼はリングでは必ず武士の白装束を思わせる純白のコスチュームを身にまとっていた。大会前には約一週間、関係者もマスコミも全てシャットアウトして、人知れず山籠りして精神を集中させるというのも常だった。

日本では明治維新以降、本書に記したように柔道の台頭とともに衰退していった「柔術」だが、ブラジルではヒクソンを頂点とするグレイシー一族の手によって「Jiu-Jitsu」と名前を変えて70年間以上も歴史を刻み続けていた。ヒクソンの口からは、しばしば「武士道」や「侍スピリット」という言葉が語られ、その佇《たたず》まいは、どこか日本人を感じさせるものがある。いや私の中では、ヒクソンの存在感は前田光世の威光そのものに包まれていると言っていい。

だからこそ、ヒクソンの日常には現代の日本と日本人がなくした古き日本的なる何かが残されているのではないか。さらには前田に繋がる精神性が感じられるのではないか。

そう思ってヒクソンの言動に耳を傾ければ、「今を生きる」という言葉には、『葉隠《はがくれ》』に書かれた「毎朝毎夕、改めては死に改めては死に、常住死身になりて居る時は、武道に自由を得」という精神が重なってみえてくる。

過去の経歴よりも、むしろ「今」の自分を感じてほしい――、そう言ったあと、さらに彼はこう続けるのだった。

「誰でも皆、外見を見て人を判断してしまうだろう。いい車に乗っていたらお金持ちと思うし、大きな身体をしていたら強そうに思う。顔に皺《しわ》があったら年寄りだと思うはずだ。でも私には外見は関係ないんだ。問題は内面だと思う。たとえば私の父エリオは、今年83歳になるけれど、ビーチにも行くし何でも自分でできる。若者と同じ感覚をもっている。このように、年齢や時間にとらわれなければ、『今』を生きることができる。それが私の哲学なんだ。もちろん、私が簡単に相手の内面を見られるというわけではない。でも私は、外見だけで相手をジャッジしないようにしている。目に見えるものにとらわれない。信じるものは、心に感じられたものだけだ。ユー・アンダスタン?」

まずそれだけは最初に言っておきたかったんだとでも言うように、そこまで一気に続けると、ヒクソンはニヤリと小さく笑みをつくった。

最強伝説が生きる道場

「ヒクソンは今、『ヒクソンVS．WORLD』という大会のために、ブラジルに行っています。そこから戻るとすぐにフランスに3週間行く予定です。その後12月初旬ならば、取材の可能性はあると思います」

ヒクソンの妻（当時）、キムからの返信がきたのは、10月も終わり頃のことだった。そのスケジュール通り、ヒクソンがロサンゼルスの自宅に戻ったのは、このインタビューの前々日だった。延べ3カ月にもわたるブラジルとフランスへの遠征から帰国すると、そのまま彼は稽古着を着て道場に立った。

この日も、挨拶もそこそこに彼は「道場に行こう」と言い出した。海岸線沿いにある高級住宅街から車で約30分。ビバリーヒルズを南に下った辺りに位置する道場は、自動車整備工場と軒を連ね、天井には何本もの太い鉄パイプが走る、古い工場をリノベーションしたものだった。

「ここには安生《あんじょう》も来たことがあるんだよ」

車を止める直前、彼はそう言ってウインクして見せた。彼の「最強伝説」に挑戦した日本のプロレス出身の格闘家・安生洋二が、かつてここで道場破りを目論んだことがある。

「私が安生を破ったことはもちろん知っているよね」とでも言いたかったのだろう。

道場には約30枚前後の青いマットが敷かれ、ヒクソンが到着する前から、すでに約20名の若者たちが、稽古着を着てそれぞれに身体を動かし始めていた。

ヒクソンの姿をみつけると、あちこちから「ハロー」「ハイ、ヒクソン」と声がかかる。その一つ一つに手を振って応え、時にはハグして一人一人と久しぶりに再会を喜び合うことから、この日の稽古は始まった。

ヒクソンは、膝を怪我している若者には心配そうに寄り添ってその具合を聞き、師範代と思われる若者からはノートを間に挟んで不在の間の報告を受けている。

やがて稽古着に着替えたヒクソンが、「ひゅーぶりゅ〜」と大きく息を吐きながらマットの外周を走り始めると、それまでばらばらだった若者たちの動きは見事に統率され、本格的な稽古が始まった。

日本での「ヴァーリ・トゥード」の大会の際は、ヒクソンは稽古着は着ない。上半身裸で白い短パンと薄い革製のグローブがコスチュームになる。

そもそも賞金を賭け、噛み付き、目潰し、急所攻撃以外は何でもありというヴァーリ・トゥードという闘い方は、柔術家対他の流派の格闘家との戦いを行う時に限って用いられる方法だ。何でもありなのだから、時には相手に馬乗りになって顔面をめった打ちにすることも珍しくない。結果流血も当然で、96年現在、アメリカでこのルールの大会を開くことができるのは、ボクシング・コミッションとの関係で、ノースカロライナ州だけとなっている。日本でもその危険性が語られて、次第にルールが規制される方向にある。

ブラジルにおいても、柔術家同士の戦いには、このルールは用いられない。仮にヴァーリ・トゥードの大会で柔術家同士が顔をあわせた場合には、その試合は行われないのが普通だという。

柔術の普段の稽古では、顔面へのパンチは行われない。稽古着をまとった瞬間に、若者たちは格闘家から柔術家の雰囲気に居住まいを正し、その稽古は礼で始まり礼で終わる。柔道と変わらない規範をもっている。

柔術と柔道の一番大きな違いは、より実戦的であるか否かという点だ。日本においても、講道館柔道が創られた明治15年（1882年）から約一世紀の間に、オリンピックの影響や世界的な広まりもあって、柔道は武道というよりもスポーツとしてのスマートさを身につけてきている。ごく一部を除いて相手に決定的なダメージを与える関節技は禁止され、押さえ込みや投げ技が主流になった。試合において細かく体重別にクラス分けがなされているのも、スポーツとしての西洋的な平等精神に則ったものだ。

だが柔術においては、相手の攻撃に対してどう防御するか、体格の違う相手に対してどう戦うか、異種格闘家とどう戦うか、仮に相手に組み伏せられてもそこからどう反撃するかといった、実戦を想定した技術が最大の焦点だ。自らは、スポーツではなくセルフ・ディフェンス（自己防御術）と定義している。

だから時には、道場でも稽古着を脱いだ訓練も行われるし、安生のように道場破りが現れれば、道場主は日頃の教えを実戦の中で披露しなければならない。

ブラジルでは、今でも賭け金をもって道場破りを行う者も少なくないという。そうやって自分の強さを喧伝して、弟子を増やして道場を拡張していくことが、柔術家の普通のあり方なのだ。

ジス・イズ・マイ・ゴール

一通りの柔軟運動が済むと、さっそく大きな相手に上に乗られた体勢を想定しての稽古になった。一人が相手の上に乗って押さえつけようとする。下の者は腰を振り、足や肘を少しずつ相手の身体に絡めながら、体勢を逆転していく稽古だ。

最初にヒクソンが模範を示す。下の位置から相手の重心を巧みにずらし、一瞬のスキをついて相手の背中に足を絡める。そうなると、次の瞬間にはあっと言う間に形勢は逆転している。

「ジス・イズ・マイ・ゴール」

相手の背中に乗ったヒクソンがそう言うと、見守る若者たちから思わず小さな拍手が沸き起こる。

気がつけば、英語で始まった稽古はいつの間にかスペイン語やポルトガル語らしき単語が混じるようになっている。金髪、カーリーヘア、黒人、白人、東洋人、ラテン系、アングロサクソン系等々、さまざまな国籍と人種が入り交じっているのがいかにもロサンゼルスらしい。

「ヒクソンかい？　彼はロスにいる時はほとんど毎日稽古に来てくれるよ。皆ヒクソンに憧れてここに集まっているんだから」

膝の怪我のために、稽古の様子を道場の手すりに寄り掛かって見学していた若者が教えてくれた。

「生徒の仕事はみなバラバラさ。学校の先生もいれば学生もいる。役者の卵も多いよ。あそこの彼は警察官だ。道場では週に5日間稽古があるから、都合のいい時間に通えるんだ。ボクは週に5回来ているけれど」

事務所に置かれたパンフレットには、月曜日から金曜日まで、午前7時から夜の9時まで、1時間から1・5時間ごとに細かくコマが区切られている。それぞれに「初級」「中級」「プライベート」「オープン・クラス」と区分けされ、初級は受講数40クラス未満の者、中級は40クラス以上、一般参加のオープン・クラスは30クラス以上の者というただし書きがある。1クラスの受講料は25ドル（プライベートクラスは30分40ドル）。月に4クラスで80ドル。回数が増えるに従って割引になり、月に20クラスでは200ドルとなる。ステーキでもファミリーレストランなら5ドル前後で食べられ、タクシーも初乗りが2ドル足らずというこの国の経済感覚でみると、それは決して安い値段ではない。

ヒクソンは、ここ「WEST　L.A.」の道場だけでなく、海岸線を南に下った「ラグナ・ニゲル」と「ヴェンチュラ」の2カ所にも道場を持っている。どちらも高級住宅街として知られる街だ。合計すると、約300人の生徒がいるという。

いずれの道場でも、ここと同じように連日稽古が行われている。その3カ所を廻って生徒と向き合うことが、ヒクソンの生活の基本なのだ。

稽古の最後は乱取りだった。柔術の乱取りは、互いに膝をついた体勢からスタートする。ゴロゴロと転がりながら寝技を掛け合う中で、関節や喉の頸動脈を極《き》めていく。初心者を示す白や青の帯を締めた若者同士の組はただ力任せに転がるばかりだが、上級となる茶帯や黒帯同士の戦いになると、要所要所で攻守が逆転し、劣勢と思われた者が下の位置から相手の腕や首、足首の関節を取ってギブアップを奪うシーンもある。

稽古が始まって約1時間半、規定の昼12時半になると師範代の若者が「終了」の号令をかけた。ところがその号令を無視して、激しい攻防をやめない組が一つだけあった。ヒクソンと茶帯の若者だった。

乱取り開始から約20分。周囲の視線を集めながら、その攻防がやっとヒクソンの勝利で終わると、さすがの彼も呼吸が苦しそうだった。

「まだ時差ぼけがあって体調が悪いんだ」

そう言って、深呼吸を繰り返している。

その様子を私の横で見ていた黒帯の大柄な若者に、小声でこう聞いてみた。

「稽古の途中でヒクソンがギブアップしたことはあるの?」

私の質問に彼は大きく目を見開いて、右手を左右に振ってこう言った。

「とんでもない。そんなシーンはありえない」

愛嬌のある笑顔をつくって、小さくウインクを返してきた。

どうやら道場でも、ヒクソンの王座は不動のものらしい。

スコットランド出身の一族

グレイシー一族がつくった、柔術のヒストリーを描いた宣伝用のビデオには、以下の解説がなされている。

「1801年、スコットランドを出たジョージ・グレイシーがブラジルに辿り着いた。やがて1914年、コンデ・コマとして知られた前田英世（光世の前の名前、ここではエイセイと発音されている）は、ジョージの孫、スタホ・グレイシーと親しくなった。彼はやがて、スタホの子ども、カルロス・グレイシーに芸術である柔術を教えるようになった」

年代には多少のずれがあるが、本書に記した前田光世の生涯と照らし合わせても、このストーリーはほぼ正しい。アマゾンにあるパラ州のベレンで、当時14歳のカルロス・グレイシーが4年間コンデ・コマに柔術を習ったのは確かなことだ。前田がこの町にやってきて、消防署の一角に開いた道場で、ヒクソンの父の兄に当たるカルロスは、日本伝来の柔術を習い始めた。

やがてカルロスはリオ・デ・ジャネイロに出て、柔術の道場を開く。この時、11歳年下のエリオという弟が兄について柔術を学び始めた。当初はひ弱な体格だったことが逆に幸いして、「柔よく剛を制す」の言葉を体現する技術体系を打ち立てていく。このエピソードは、やはり少年時代には体格がひ弱だった嘉納治五郎《かのうじごろう》のそれと告示している。

後にエリオは1951年、ブラジルに遠征してきた柔道家、木村政彦《きむらまさひこ》らと戦い、体格で30キロ以上違う木村には破れるが、その前に加藤という柔道家には勝利を収めている。

ヒクソンはエリオの9人の子どもの中の三男にあたる。ビデオの中ではよちよち歩きの幼児がマットの上で柔術らしきトレーニングを受けているシーンも収録されているが、グレイシー家に生まれた男の子はみな幼少の段階から柔術のトレーニングを受け、成人後も何らかの形でそれを仕事にしていくという家風は、ヒクソンたちの代で形成されたようだ。

ヒクソンは16歳の頃から指導者として生徒を持ち、18歳で黒帯を締める頃にはもはやブラジル国内では無敵だった。

プロとしてのヴァーリ・トゥード戦へのデビューは20歳の時。ブラジルにあるルッタ・リブレ（プロレスのような格闘技）のチャンピオンで、当時最強と言われた身長約190

cm105kgの黒人の巨漢ズールーを相手に、首都ブラジリアで戦った。

当時の様子を、やはりロサンゼルスで道場を開くヒクソンの兄、ホリオンに聞くとこう語った。

「その頃は父エリオも年老いていたし、ブラジルでもヴァーリ・トゥードの戦いは衰退していたんだ。ところがブラジルのお祭りの時に、最強と言われていたズールーとグレイシー家の誰かを戦わせようということになった。その時エリオは、当時伸び盛りだったヒクソンを指名した。ヒクソンも自ら戦いたいと名乗りを上げたんじゃないかな。私は当時、アメリカに来ていたから詳しいことはわからないけれど」

ビデオには、この20歳の時の戦いは記録されていない。残っているのはそれから4年後の再戦のシーンだ。観衆は1万人弱だろうか。大きなアリーナの天井まで満員になり、体格が子どもと大人ほど違う二人の戦いに、ゴング前から誰もが興奮しきっている。

1ラウンド10分、3ラウンドで行われたこの試合、ヒクソンは2ラウンド約3分、背後からのチョーク・スリーパーでズールーからギブアップを奪っている。

ヒクソンは試合開始直後にタックルにいくが、相手が倒れないと見ると自ら仰向けになり、ズールーの身体を両足で挟んで、上体を密着させて上からのパンチを凌いでいる。

一見守勢一方に見えるヒクソンだが、ガード・ポジションと呼ばれる体勢をキープして、巧妙に相手の身体をコントロールして、スタミナを奪う技術が絶妙だ。やがて機を見て腰をずらして体勢を入れ換え、一瞬の早業でチョーク・スリーパーに持ち込むと、程なくしてズールーはギブアップしてしまう。

ビデオの中の10年以上前のヒクソンはやはり若々しい印象だが、技術的にはこの日、道場でみせてくれた基本をそのまま応用していることがわかる。

二度にわたるズールー戦の勝利で、ブラジル国内でのグレイシー家の名声は再び高まり、ヒクソンは不動の王者になっていく。同時期に柔術の国内大会でもチャンピオンとなり、以降10年間、最強の男として君臨し続けている。

グレイシー・ダイエット

グレイシー一族の柔術にかける姿勢は、日頃の食生活や節制にも示されている。ラテン民族のブラジルでは、10代の女性はとてつもなくスマートで美形だが、25歳を超えると誰もが太っていく。男性もほぼ同様だ。享楽的な日常生活、食生活がそうさせているのは間違いない。

ところがヒクソンの妻、キムはモデル出身ということもあり、30代を迎えてもとてもスマートで、若い頃からの美貌を保っている。彼女が、グレイシー・ダイエットと呼ばれる、この家族の食生活をこう語ってくれた。

「ヒクソンと出会う前までも、私はいろいろなダイエットを行ってきました。けれどどこか体質に合わず、体調が悪かったのです。ところがグレイシー・ダイエットを実践して、フルーツ中心の食生活にしたらすごくエネルギーが湧いてきました。パワフルになったと思います。そういう意味でも、私とヒクソンの出会いは運命的なものだったと思います」

ヒクソンは、普段からフルーツ中心の食事をしている。オレンジならば箱半分を一度に食べてしまうし、リンゴ、スイカ、メロン、バナナ等が主食になる。肉を食べる時は、赤身の肉は月に二回だけで、普段は白身の魚か鶏のささ身だけという徹底ぶりだ。酒もタバコももちろんたしなまない。日本茶も、カフェインが多いという理由から口にしなくなった。

私はこのインタビューの約5年後に、当時88歳で元気だったヒクソンの父、エリオ・グレイシーに会うために、リオ・デ・ジャネイロから車で約2時間入った山中にある山荘を訪ねことがある。約10万坪の牧場に住む彼は、ほぼ自給自足の生活を送っていた。グレイシー・ダイエットの創始者でもあるエリオは、その生き方とダイエットの秘密についてこう語った。

「私はある時から兄のカルロスとも袂《たもと》を分かってしまった。兄弟のことはあまり語りたくないんだ。なぜなら私は自分自身の決めたルールに厳しすぎて、兄弟や親戚でもそれについてこられなくなった。でもそれは仕方ない。強い意志をもたない者は、いずれ失敗していく運命なのだから」

つまりエリオは、柔術のテクニックは兄のカルロスに学んだが、その熱が高じて食事のとり方にも独自のルールを決めた時に、あまりのストイックさに兄弟はついてこられなくなったわけだ。だからこそ、格闘技界を席巻するグレイシー旋風の中心は、食生活でもストイックさを貫いたエリオの子どもたち、ヒクソンやホイスということになったのだろう。

この時エリオの妻、ヴェラが用意してくれた食事こそ、グレイシー・ダイエットの本家本元の姿だった。大皿には、豊富な野菜と鶏肉料理。パスタやスープも並んでいる。

エリオは言った。

「穀類を食べる時には砂糖や油は使わずに、ニンニクのすり下ろしやオリーブオイルで調理するんだ。フライパンや鍋を使った食事は一日一度で、あとは山盛りのフルーツを食べる。食事中に飲むのは、カカオの実からとったジュースだ。私は身体に悪いことは一切拒否しているんだ」

その言葉通り、規範が及んでいるのは食生活だけではない。朝は7時に起きてまず飼っている牛の乳を絞り、7リットルの牛乳から直径10㎝大のチーズを造る。就寝は10時か10時半。規則正しい生活を、15年以上続けているという。

ブラジル版「プレイボーイ」のインタビューでは、「生殖以外のセックスはしない」という発言もあった。その意志があまりに強いために、エリオは時に「同性愛は生殖器の異常である」「自立した女性を好むのは、ヒモ、怠け者、無気力な男である」といった、現在の価値観からは偏見ととられても仕方ない発言も堂々としてしまう。

世間がどんなに多様な価値観を認めようとも、エリオのルール、ひいてはグレイシー家のルールは頑なだ。エリオは私のインタビューの最後にこう言った。

「本能とは馬鹿げたものだ。自らのルールを破る者は、あとで高い利息を払うことになる。強い意志をもたない者は、いずれ失敗するんだ」

酷似するその言動から見て、ヒクソンは、おそらく一族の中でも最もエリオの影響をストレートに受けた者とみて間違いない。だからその日常生活の姿勢は、グレイシー一族の中でも「王道」なのだ。

家族との姿、初めてのギブアップ

ヒクソンにインタビューした翌日は土曜日だった。道場の稽古は休みだ。午前中に家を訪ねてみると、ガレージの扉が開けられて、そこにはマットが敷かれていた。ジャージにスニーカー姿の彼の足元に、14歳を筆頭に4人の子どもがじゃれついている。

そこにはダンベルやバーベルといった、いわゆるウエイトトレーニングの器具は一切見当たらない。器具といえば、庭にある鉄棒と、そこに足をかけて逆さ吊りになるためのバーだけだ。筋力を鍛えたい時は、鉄棒を使って自分の体重だけでさまざまな種類の懸垂や腹筋、背筋運動を行うのだという。

そのトレーニングのスタイルは、北米大陸の反対側、フロリダに居を構えるプロレスラー、カール・ゴッチの道場を思わせる。ゴッチもまた、「野生の動物は道具を使わない」といい、70歳を超えても自分の体重だけを使ってトレーニングをくり返すのが常だった。二人に面識はないという。その格闘スタイルも、レスリング系のカール・ゴッチと柔術のヒクソンとでは大きく異なる。けれど「天才は天才を知る」。その本質は意外に近いところにあるという印象だ。

ガレージに戻ると、キムも加わって親子6人でヨガの呼吸法のトレーニングや柔術の寝技の稽古が始まった。ヒクソンは、土曜日は家族の日として、親子で稽古着を着て日がな一日マットの上で過ごすのが常だという。子どもたちは4人がかりでヒクソンをマットに転がした。その腕を、この時7歳のクロン（ＫＲＯＮ）が見事に逆十字に極めた。

「ギブアップ」

思わずヒクソンがマットを叩いてギブアップした。

その光景を見ながら、一人少し離れていたキムが言う。

「上の子にはコンピュータや絵画も教えたのだけれど、結局柔術しか身につきませんでした。長女はダンスが得意で次女には水泳もやらせているけれど、やっぱりパパと柔術で遊んでいる時が一番楽しそうね」

ヒクソンがマットを叩いてギブアップするところを見たのも初めてなら、その目尻があんなに下がるのだということを知ったのも、この時が初めてのことだった。

前世は日本人

「ヒクソンだけは兄弟のなかでもどこか東洋的な顔だちをしているとは思いませんか？私は彼の前世は東洋人、特に日本人だったのではないかと思っているんです」

午後になって、ガレージのマットでプライベート・レッスンを始めたヒクソンの代わりに、キムがインタビューに答えてくれた。

「前世を信じるか信じないかは人によると思いますが、あなたは信じますか？」と私に問いかけてから、「私は信じている」と言う。

「彼は私と生活する中で、怖がるということをしたことがないんです。私は瞑想をするけれど、彼にはそれもあまり必要ないみたい。子どもが鉄棒に逆さ吊りになっても、全く平静です。驚かないし慌てない。たぶんそれは、柔術を始める前から身についていたものではないかと思います。柔術を使って、彼はそうした精神のあり方を表現しようとしている。だから柔術を世界に広めていくことは、彼の使命だと思っています」

この時を遡ること約7年前、80年代の後半に、グレイシー柔術を世界に広めるためにロサンゼルスに転居した二人は、そこを拠点に各国からの依頼に沿って柔術のセミナーや模範試合に出かけていくことをくり返している。10月末のブラジルでの大会は、スポンサーが途中で降りたことと大雨で観客が入らなかったことで流れてしまったというが、フランスでは連日400人以上の生徒が集まり、好評のうちにセミナーを終えることができたという。

「私たちはただお金儲けのためだけに、試合やセミナーをやっているわけではありません。やるべきことをやるべき時にやる。それがヒクソンと私が常に考えていることです。ビジネスは結果です。私はヒクソンのマネージャーとして、彼自身が内面から輝くような、そういう活動を選んでいかないといけないと思っています」

道場には「96年セミナー・ツアー」と書かれたパンフレットもあった。2月から7月まで、毎月一週間ずつ、オレゴン、タンパ、シカゴ、シャーロット、ロングアイランド等を廻ってセミナーとベルト・テスティングを行うと書かれている。

アメリカ国内では、有料TVが放送する大会に出場している弟のホイスのほうがヒクソンよりも有名だというが、ヒクソンはむしろ宗教家のように、地道な伝導活動、講習活動を行っている印象だ。

キムとのインタビューの途中、ヒクソンが部屋に戻ってきた。その手には、小さな本が何冊かあった。『The Art of War』(孫子の兵法)『The Art of

Ｐｅａｃｅ』（植芝盛平、合気道）。それらを見せながら、自分と東洋的なるもののかかわりを語り始めた。

「若い頃から私はこういう本をよく読んでいたんだ。日本的なものには常に興味があったから。侍、生命、死、神、尊敬、名誉、そういうものに興味があった。

私の中での侍のイメージは、『将軍』の中に出てきたミウラ・アンジンだ。ボスのいない侍というのかな。侍は、生命を懸《か》けてボスと領土を守る。私は命を懸《か》けて、自分の誇りを守る。もし試合で死んでも、だからそれは本望なんだ。私にとって死は二番目の問題だから。試合の中でそうなったらそうなったまでだ。

武士道は誇りだ。だから全ての人間がもっているべきだ。威厳、誇り、信頼、尊敬、愛、それらが武士道というものではないかな」

そう言うと、彼は突然一篇の詩を暗唱し始めた。

「神風のポエムを知っているかい？　神風は言っている。

『今日美しい花も、明日は枯れている
美しさに永遠を期待してはいけない
今日の美しさは明日はない

神風は、今を生ききることを考える
仮に死んでも、違う人間に生まれ変わる
今日生ききることが全てだ』
だから《わたし》は、『今』に生きているのさ」――――。

主要参考文献

『カストロ　革命を語る』後藤政子編訳（同文舘）
『峠の文化史　キューバの日本人』倉部きよたか（PMC出版）
『カストロ』宮本信生（中公新書）
『前田光世　コンデ・コマの生涯』前田金作　山本銀司（自費出版）
『月刊Ａｓａｈｉ』「21世紀に語り継ぐ日本の異能・異才１００人」
『月刊格闘技通信』93年12月号
『アマゾン　日本人による60年の移住史』汎アマゾニア日伯協会編
『ＮＥＷ　ＹＯＲＫ　ＴＩＭＥＳ』１９０5年5月28日29日、30日、6月14日号
『日本柔道魂　前田光世の世界制覇』薄田斬雲（鶴書房）
『柔道を創った男たち』飯塚一陽（文藝春秋）
『坂の上の雲　一～八巻』司馬遼太郎（文藝春秋）
『アメリカ大統領』宇佐美滋（講談社）
『武士道』新渡戸稲造（岩波文庫）
『東の国から・心』小泉八雲（恒文社）
『柔道百年』老松信一（時事通信社）
『スペイン語入門』井沢実（中公文庫）
『20世紀の日本人』レジナルド・カーニー（五月書房）
『日露戦争』古屋哲夫（中公新書）
『ルーズベルト氏猛獣狩日記』（博文館）
『講道館柔道側面史』韮山分場百周年記念式典実行委員会
『ロシヤにおける広瀬武夫　上下』島田謹二（朝日新聞社）
『弘前高校百年史』
『弘前偉人伝』稲葉克夫

『都の西北――建学百年』早稲田大学
『明治バンカラ快人伝』横田順彌（ちくま文庫）
『拓けゆくアマゾンその自然と生活』長尾武雄（家の光協会）
『パンパスのちぎれ雲　祖国を捨てた日本人』菊地育三（朝日新聞社）
『冒険世界』1909年9月5日号
1910年3月5日号
1910年5月1日号
1910年8月1日号
1911年2月25日号
1915年10月2日号
『プロレス社会学』マイケル・R・ボール（同文舘）
『弘前柔道史』弘前柔道協会
『日本の古武術』石岡久夫　岡田一男　加藤寛（新人物往来社）
『秘伝日本柔術』松田隆智編（新人物往来社）
『アフリカに渡った日本人』青木澄夫（時事通信社）
『メキシコ榎本殖民』上野久（中公新書）
『日本人出稼ぎ移民』鈴木譲二（平凡社）
『海外発展虎の巻』海外社編輯部
『移住研究』
『アマゾンは流れる』
『アマゾン記』尾崎龍夫（自費出版）
『アマゾンの歌　日本人の記録』角田房子（中公文庫）
『神秘境大アマゾンを探る』古谷俊恵（タイムス社）
『南米絵の旅』矢崎千代二（自費出版）
『千葉四郎』（自費出版）
『創造に生きて　わが生涯のメモ』千葉三郎（カルチャー出版社）
『アマゾン暮らし三十年』山田義雄（東都書房）
『埋み火』松本健一（新潮社）
『カスタニャール邦人　開拓五十年の歩み』汎アマゾニア日伯協会　カスタニャール市部
『読売新聞』1987年2月9日朝刊
『COMBAT』誌

一〇〇字書評

切り取り線

購買動機（新聞、雑誌名を記入するか、あるいは○をつけてください）

□（　　　　　　　　　）の広告を見て
□（　　　　　　　　　）の書評を見て
□ 知人のすすめで
□ タイトルに惹かれて
□ カバーがよかったから
□ 内容が面白そうだから
□ 好きな作家だから
□ 好きな分野の本だから

●最近、最も感銘を受けた作品名をお書きください

●あなたのお好きな作家名をお書きください

●その他、ご要望がありましたらお書きください

住所	〒				
氏名		職業		年齢	
新刊情報等のパソコンメール配信を 希望する・しない	Eメール	※携帯には配信できません			

あなたにお願い

この本の感想を、編集部までお寄せいただけたらありがたく存じます。今後の企画の参考にさせていただきます。Eメールでも結構です。

いただいた「一〇〇字書評」は、新聞・雑誌等に紹介させていただくことがあります。その場合はお礼として特製図書カードを差し上げます。

前ページの原稿用紙に書評をお書きの上、切り取り、左記までお送り下さい。宛先の住所は不要です。

なお、ご記入いただいたお名前、ご住所等は、書評紹介の事前了解、謝礼のお届けのためだけに利用し、そのほかの目的のために利用することはありません。

〒一〇一-八七〇一
祥伝社黄金文庫編集長　吉田浩行
☎〇三（三二六五）二〇八四
ohgon@shodensha.co.jp

祥伝社ホームページの「ブックレビュー」からも、書けるようになりました。
http://www.shodensha.co.jp/bookreview/

祥伝社黄金文庫

グレイシー一族《いちぞく》に柔術《じゅうじゅつ》を教《おし》えた男《おとこ》
不敗《ふはい》の格闘王《かくとうおう》　前田《まえだ》光世《みつよ》伝《でん》

平成26年6月20日　初版第1刷発行

著　者　神山典士《こうやまのりお》
発行者　竹内和芳
発行所　祥伝社《しょうでんしゃ》
〒101－8701
東京都千代田区神田神保町3－3
電話　03（3265）2084（編集部）
電話　03（3265）2081（販売部）
電話　03（3265）3622（業務部）
http://www.shodensha.co.jp/

印刷所　萩原印刷
製本所　ナショナル製本

Printed in Japan　© 2014, Norio Kouyama　ISBN978-4-396-31641-9 C0195